MISTÉRIOS DA ALMA

LIVRO COM BÔNUS ON-LINE
Acesse o link:
luzdaserra.com.br/misterios

BRUNO J. GIMENES

MISTÉRIOS DA ALMA

Caminhos práticos para encontrar sua
prosperidade, viver seu propósito
e ativar sua espiritualidade

Nova Petrópolis/RS - 2017

Capa: Raul Fernandes
Edição e Revisão: Luana Aquino

Dados Internacionais de Catalogação na Publicação (CIP)

G491m   Gimenes, Bruno J.
           Mistérios da alma: caminhos práticos para encontrar sua prosperidade, viver seu propósito e ativar sua espiritualidade / Bruno J. Gimenes. – Nova Petrópolis : Luz da Serra, 2017.
           248 p. ; 23 cm.

           ISBN 978-85-64463-49-3

           1. Autoajuda. 2. Espiritualidade. 3. Energia. 4. Internet - Vídeos. 5. YouTube (Recurso eletrônico) I. Título.

                                                CDU 159.947
                                                CDD 158.1

Índice para catálogo sistemático:
1. Autoajuda   159.947
(Bibliotecária responsável: Sabrina Leal Araujo – CRB10/1507)

Todos os direitos reservados. Nenhuma parte desta obra pode ser reproduzida ou transmitida por qualquer forma e/ou quaisquer meios (eletrônico ou mecânico, incluindo fotocópia e gravação) ou arquivada em qualquer sistema ou banco de dados sem permissão escrita da Editora.

Luz da Serra Editora Ltda.
Avenida 15 de Novembro, 785
Bairro Centro
Nova Petrópolis/RS
CEP 95150-000
editora@luzdaserra.com.br
www.luzdaserra.com.br
www.luzdaserraeditora.com.br
Fones: (54) 3281-4399 / (54) 99113-7657

Agradeço a Deus por nos mostrar pessoas tão especiais, caminhos maravilhosos e oportunidades incríveis para que este livro se realizasse. Em especial a todos os fãs e seguidores que ajudaram a tornar o Espiritualidade na Prática uma série de grande sucesso dentro do YouTube.

COMO USAR ESTE LIVRO

Este é um livro de consulta, ele nasceu para lhe trazer informações precisas que esclareçam os Mistérios da Alma. Ele serve também para guiá-lo na direção certa dos seus objetivos de melhorar a sua vida em todos os níveis: relacionamentos, saúde, bem-estar, qualidade do sono, harmonia e prosperidade.

Na primeira vez, procure ler por completo até o final, mas, de preferência, conclua o conteúdo em no máximo oito semanas. Então, após a primeira leitura, utilize-o como um livro de exercícios. No mínimo uma vez por semana, escolha de acordo com a sua intuição um dos "Mistérios da Alma" abordados aqui.

Ao final, faça um resumo que deve ser orientado pelas perguntas que vou colocar a seguir. Se você estiver com preguiça, poderá responder apenas uma delas. Deixe para responder todas as questões apenas quando estiver mais comprometido e dedicado. Eu falo isso porque sei que temos essas oscilações na nossa força de vontade. Não importa quantas perguntas você respondeu, desde que faça com seriedade.

Você pode estudar o mesmo Mistério da Alma quantas vezes quiser ao longo da sua vida, porque pode ser que ele signifique algo diferente em cada momento da sua jornada.

Essa é apenas a minha sugestão de como utilizá-lo, você pode explorar novas formas de leitura, use a sua criatividade, deixe a sua intuição fluir. Estas são as perguntas que eu recomendo que você faça ao final de cada Mistério da Alma:

– O que eu posso aplicar agora sobre esse tema que vai melhorar a minha vida imediatamente?

– O que posso fazer já e que não tenho desculpas para não fazer?

– Qual é a ação simples e objetiva sobre esse tema que posso usar para ajudar outras pessoas?

– O que preciso começar a fazer para ter resultados mais impressionantes e expressivos?

– Se eu fosse agora exatamente o que eu nasci para ser, o que eu estaria sendo neste momento? O que falta eu fazer para que eu possa ser esse "eu" que nasci para ser?

Nenhuma das perguntas tem uma resposta certa ou errada, apenas o seu mergulho para dentro de sua alma. Recomendo, no entanto, que você sempre escreva a sua resposta.

Se for ensinar outras pessoas ou caso use o livro nos grupos de estudos, instrua para que todos façam o mesmo, porque escrever vai fazer com que a clareza surja na mente. E, quando a clareza surgir, a prosperidade, a alegria e a rapidez na resolução de problemas vem junto com ela, não falha.

GRUPOS DE ESTUDO

Você também pode convidar mais pessoas para fazer essa reflexão. Nada nos faz aprender mais do que compartilhar!

Uma boa prática é reunir grupos de até oito pessoas para estudar o assunto. Nesse caso, comece fazendo uma conexão ou prece, exercitando a gratidão.

Eu recomendo fazer a Conexão de Quatro Etapas. Para fazê-la, acesse o bônus on-line deste livro, onde há uma página especial (*luzdaserra.com.br/misterios*), com um passo a passo para você seguir.

Então, leia de um a três "Mistérios da Alma" por reunião, não faça mais que isso. Ao final, responda as perguntas em grupo. Cada um responde de forma individual, mas pode expor para o grupo o seu posicionamento. Quando encerrar o exercício, de preferência, faça uma prece muito simples. É importante que todos deem as mãos e agradeçam essa reunião.

Se escolher estudar com outras pessoas, recomendo que faça uma vez por semana por 45 minutos e que tome todo o cuidado necessário para que seu grupo não vire uma comunidade de lamentação. É humano gostar de se reunir para criticar, chorar, lamentar-se, etc. Esse não é o objetivo, um dos nossos dois pilares é a Sintonia Elevada, como veremos a seguir.

SUMÁRIO

MISTÉRIOS EM TODOS OS LUGARES 12
AMBIENTE ENRIQUECIDO 25
A MINHA HISTÓRIA 30
A PÉSSIMA CRENÇA NEGATIVA 41
OS MISTÉRIOS DA SUA ALMA 51

1. Por que sentimos calafrios e arrepios? 53

2. Por que eu atraio pessoas negativas? 59

3. O mistério das lâmpadas que queimam 63

4. Telepatia, você sabe o que é? 70

5. Você é macumbeiro? 76

6. O perigo de acender uma vela para oração 82

7. As fotos de pessoas mortas 91

8. Horas iguais aos minutos é um sinal 101

9. Benzimento cura? 115

10. Obsessores: 15 Sintomas 123

11. O perigo de dormir com a TV ligada 136

12. Por que é ruim visitar cemitérios? 142

13. Mau olhado: por que as plantas murcham? 149

14. Os sinais que a vida dá   156

15. O significado dos sonhos repetidos 162

16. Incenso funciona?   168

17. Por que nós ficamos doentes?   173

18. Você já sonhou que estava voando? 184

19. Como se livrar dos obsessores   189

20. Vem cá, você tem alma gêmea?   198

21. Espiritualidade dos animais   205

22. O que acontece com o espírito na cremação?   216

ESPIRITUALIDADE NA PRÁTICA: AGORA É COM VOCÊ   226

Você dá trabalho para Deus?   230

Qual é a sua missão de vida?   234

Linguiça Moment   237

Comprometa-se com a sua evolução   240

HAD   243

MISTÉRIOS EM TODOS OS LUGARES

Eu me lembro bem... era um sábado pela manhã quando entrei em uma loja de departamentos para comprar um par de chinelo. Aquela semana tinha sido muito agitada e eu não tive tempo para comprar um simples chinelo para usar na minha viagem com minha esposa para umas miniférias.

Eu não gosto muito de ir ao comércio aos sábados, especialmente porque eu moro em uma cidade turística e são nos finais de semana que as lojas, padarias e cafés ficam lotados.

Mas desta vez não pude evitar, eu precisava comprar o bendito chinelo para viajar. Então, fui até essa loja e entrei como um foguete diretamente ao setor específico. Uma vendedora que estava na porta tentou me acompanhar e ofereceu ajuda, mas eu estava focado no meu único objetivo: um chinelo novo. Por isso, apertei o passo e fingi que não estava ouvindo aquela

voz que vinha atrás de mim dizendo: – Senhor, senhor, posso ajudá-lo?

Eu só queria mesmo o meu chinelo. Não queria conversar, tampouco estava interessado nos itens do setor dela. Eu queria escolher, pagar e voltar logo para casa, mas ela chegou tão próxima de mim que não consegui mais ignorá-la.

Àquela altura eu também já estava me sentindo meio culpado. Então, eu disse algo para ver se eu conseguiria me desenvencilhar logo dela:

– Quero comprar um par de chinelos, é no segundo andar, certo?

– Certo, senhor, isso mesmo.

– Ok, obrigado, então, eu vou lá.

– Senhor, não quer dar uma olhada nas camisetas que chegaram?

– Não.

– Estão lindas.

– Não, obrigado. Dessa vez, eu falei com a voz mais firme para que ela entendesse que estava sendo inconveniente.

– Mas, senhor, elas estão lindas e o preço está muito bom.

– Moça, como é o seu nome?

– Gláucia! Disse a menina.

– Você está sendo chata, sabia? Eu só quero o meu chinelo e, se você ficar me incomodando, nem vou comprar mais, vou em outra loja.

A minha resposta e o tom de voz já mostravam a minha irritação.

– Ahhhhhh, desculpe.... Eu não sei o que me deu hoje, eu não sou assim!

Gláucia começou a chorar. Aí foi covardia! Mesmo que ela tenha sido inconveniente, eu fiquei comovido.

– O que foi Gláucia? Por que você está chorando?

Tentei remendar a minha grosseria na resposta anterior, falei com aquela vozinha mais suave e hipócrita, de quem quer ser afetuoso à força.

– Desculpe, Gláucia, eu só fiquei irritado porque você estava sendo muito pegajosa (acredite, eu falei isso e quase piorei tudo), mas está tudo bem.

Então, Gláucia abriu seu coração: – Eu não sei o que aconteceu, porque desde que eu atendi aquela "véia mala" fiquei assim. Parece que eu estou com febre, sinto arrepios, estou fora de mim. Não sou chata, não sei o que houve para eu tratar o senhor assim!

– Sério, Gláucia? Você ficou mal depois de atender essa senhora?

Agora eu estava fazendo média para não chamar a vilã da Gláucia de "véia mala", por isso disse "essa senhora".

– Aquela "véia mala" sempre vem aqui e começa a reclamar da vida enquanto escolhe uma roupa. Outro dia foi com a Andréia (outra vendedora) e hoje foi comigo. Eu não sei o que ela faz e nem sei o que é isso, mas é só ficar perto dela que estraga o dia todo.

– Já aconteceu isso antes, Gláucia?

– O que? O senhor fala de me sentir mal com essa "véia mala"? Não... É a primeira vez.

– E, com outros clientes, já aconteceu? Insisti na conversa.

– Sim, muitas vezes! Eu até já pensei em desistir de trabalhar com o público. Cheguei a pedir para a minha chefe me colocar na contabilidade, mas ela não me ouviu.

– Você quer mesmo saber porque isso acontece com você, Gláucia? Quer mesmo?

– Com C E R T E Z A!

Ela respondeu com força na voz.

– Olha, Gláucia, eu sou escritor e palestrante nessa área e ajudo pessoas a desvendar o que eu chamo de "Mistérios da Alma". Eu auxilio a compreensão do que é a espiritualidade de forma prática para melhorar o dia de cada um. Por exemplo: eu ensino as pessoas que absorvem os problemas dos outros, que passam mal, ficam com dores e até irritadas sem motivo a se protegerem. Acredite, tudo isso parece um pouco sinistro no começo, meio místico e misterioso, mas com o tempo você percebe que faz parte das leis naturais que regem o planeta Terra.

Gláucia respondeu com o olhar ainda desconfiado:
– Jura?
– Juro.
– Então, fale mais sobre isso.

Agora a cara dela já era de curiosa e totalmente favorável para aprender algo.

– Esse mal-estar que você teve ao atender a sua cliente aconteceu porque você absorveu energias dela. Você não sabe se proteger e principalmente se limpar de influências negativas que são normais do dia a dia. Outra coisa, você já começou a bocejar enquanto atendia alguém?

— Sim, claro, muitas vezes!

— Pois é! Esse é mais um "Mistério da Alma" que é fácil de ser explicado e que significa muito. Se você começa a aprender essas simples lições, melhora demais a sua vida.

— Tá, mas não tem nada a ver com macumba ou Maçonaria ou coisas desse tipo?

Agora a cara da Gláucia era a de quem estava assistindo um filme de terror.

— Hahahaha, claro que não, Gláucia! Mas me responda o que é Maçonaria para você? O que é Macumba?

— Ah, é quando "eles" fazem sacrifício com animais para conseguir tudo o que "eles" querem. Dizem que, se você quiser um namorado ou um carro, "eles" fazem um sacrifício e um ritual satânico para conseguir e conseguem. Eu sei que quando é para arranjar um namorado e coisas materiais como carro, moto e casa é a Umbanda que "eles" usam. Mas sei também que essa Maçonaria é para conseguir coisa maior, tipo uma empresa ou mesmo para fazer parte de algum governo, coisa de política mesmo! Me disseram que a Maçonaria faz até sacrifício com gente! Parece que essas pessoas desaparecidas que eles noticiam por aí tem a ver com a Maçonaria. É coisa de gente endemoniada mesmo!

– Entendi. Então, é isso que você acha que são a Umbanda e a Maçonaria?

– Sim, uma amiga que me disse. Ela é entendida!

– Olha, Gláucia, eu não sou especialista nem na Umbanda e nem na Maçonaria, mas posso dizer que elas não fazem nada disso que você falou, tá bom?! O que eu faço não é nada disso, pode ficar tranquila! Mas queria pedir para você tirar esse conceito da cabeça, porque ele é equivocado e eu sei que você não quer ficar falando por aí coisas sobre os outros que eles nem fazem, certo?!

– Olha, eu jurava que era isso. Mas se o senhor tá falando...

– Você já pensou em alguém e ele ligou para você logo em seguida?

– Sim, claro!

– Você já fez alguma promessa e foi atendida?

– Eu não, porque minha mãe ensinou que não "presta" fazer promessa. Mas bem que eu tenho vontade de fazer. A Andreia que trabalha aqui já fez promessa para trocar de emprego e conseguiu. Ela já me disse.

– Você já sonhou que estava voando ou levou um susto enquanto dormia, porque parecia que estava caindo?

– Nossa, muitas vezes!

– Você já sentiu implicância inexplicável por alguém que nunca lhe fez nada e você não foi com a cara da pessoa, mesmo que não tenha explicação para isso?

– Sim!

– Você já acordou durante a noite, sem sono e quando você olhou no relógio estava marcando exatamente 3 horas da manhã?

– Sim!

– As lâmpadas na sua casa já queimaram sem explicação?

– Ai, estou ficando com medo do senhor!!!

– Você já se perguntou por que você nasceu justamente nesta família? Já sentiu algum arrepio na presença de alguém? Já teve alguma premonição que se confirmou?

– Senhor! Para que senão eu não vou dormir.

– Deixa eu lhe perguntar uma coisa então. E se eu dissesse que todas essas coisas que eu lhe falei fazem parte da nossa vida, da nossa energia natural e que só são mistérios porque nós nunca estudamos a fundo como deveríamos, o que você pensaria?

– Ah, legal, né?

Ela me respondeu ainda meio desconfiada, mas, para não ser rude, do tipo alguém que só quer agradar mesmo.

– E se eu dissesse que entender isso tudo iria lhe ajudar a ser mais feliz, ter mais energia, mais harmonia nos relacionamentos e até mais prosperidade?

– Ah! Mais dinheiro é sempre bom né?

Ela respondeu bem rápido mas acho que ela não ouviu a parte do mais feliz, ter mais energia e mais harmonia nos relacionamentos. Ela só ouviu a parte da prosperidade mesmo.

– Pois é isso que eu ensino, Gláucia, como desvendar esses Mistérios da Alma. Eu chamo isso de Espiritualidade na Prática.

– Ah, eu já ouvi falar esse negócio de espiritualidade, senhor. São coisas com espíritos né?

– Também...

– Como assim, senhor?

– É que todos somos espíritos.

– Ai, senhor, estou ficando com medo de novo.

– Pois você está vendo que o medo lhe domina? Você acha isso bom?

– Não, né?!

– O que eu ensino é simplesmente sobre ter mais consciência a respeito das leis naturais e os ditos "Mistérios da Alma". Por exemplo: somos todos espíritos!

– Tá senhor, aí sim, mas não vem com essas coisas de espíritos que vagam por aí que eu não gosto e não acredito nessas coisas.

– Tá, mas, se você não acredita, como é que você tem medo?

– Ah, é que quando eu era pequena, acho que eu tinha sete anos, uma mulher conversou comigo na frente da minha casa. Só que a minha mãe disse que não havia ninguém lá e que eu estava ficando louca. Mas eu me lembro bem dessa mulher que só eu enxergava. Eu conversei com ela por duas vezes, mas aí a minha mãe fez uma simpatia com uma benzedeira e eu nunca mais vi nada estranho assim.

– Olha, primeiro, que essa faculdade da conexão com entidades espirituais é chamada popularmente de mediunidade, que é uma sensibilidade ao mundo extrafísico. É uma faculdade que pode ser desenvolvida, equilibrada e se bem aproveitada vai proporcionar uma vida melhor, pois a mediunidade traz incríveis benefícios para você e também para pessoas que você queira ajudar. Segundo, se você parou de ver espíritos é porque a simpatia da sua mãe com a benzedeira funcionou, certo?

– Ah, funcionou, sim, claro.

– Então, e se você pudesse entender que mistério é esse que faz a simpatia funcionar? Ou ainda, se soubesse o motivo pelo qual os benzimentos são tão eficientes, não seria legal?

– Com certeza, muito legal.

– E, por último: e se você soubesse se proteger para não absorver as energias ruins das pessoas que você atende? Se você soubesse usar a sua intuição para tomar as melhores decisões ou se soubesse meditar para melhorar a sua saúde e energia? Tudo isso não seria muito legal?

– CARACA! Claro que sim... Tipo X-Man mesmo?

– Agora você está me "zoando", né?

– Sim, estou brincando, senhor.

– Olha, é só procurar o canal do Luz da Serra no YouTube. Eu faço vídeos todas as semanas sobre esses assuntos (na época ainda não existia o Espiritualidade na Prática).

– Sério? E você ensina tudo isso? É de graça?

– Sim! Sim e sim!

– Olha, Gláucia, eu vou viajar amanhã, posso ir comprar meu chinelo agora?

– Claro, claro senhor, pode sim. Você precisa de ajuda para escolher?

– Não, Gláucia, eu me viro sozinho.

– Tá bom, tá bom. Ah, só uma última pergunta, senhor.

– Fala, Gláucia.

– Quer dar uma olhadinha nas camisetas lindas que chegaram? Elas estão incríveis e o senhor será um dos primeiros a ver. O preço então... está ótimo!!!

– Tá bom, Gláucia. Pensando bem, as camisetas estão lindas mesmo...

AMBIENTE ENRIQUECIDO

Olá, eu sou o Bruno Gimenes. Em nome de todo o time do Luz da Serra, quero lhe dar as boas-vindas nesta jornada rumo aos Mistérios da Alma, mas não de forma individual, porque só cheguei até aqui com a força de muitos.

Talvez você já me conheça, talvez esteja me conhecendo somente agora, mas o fato é que eu só cheguei onde estou hoje porque tenho uma ótima equipe, sócios maravilhosos e uma esposa que não cansa de me surpreender positivamente há mais de dez anos. Como você pode ver estou rodeado de pessoas incríveis. E eu ainda participo de outros grupos que só me fazem querer melhorar a cada dia.

Acredito que em equipe vamos mais longe e que participar de grupos de pessoas certas pode alavancar a sua vida. Mas, como você já deve ter percebido, eu também acredito que conhecer os mistérios da nossa alma é algo que melhora a vida de qualquer pessoa.

A história que contei acima aconteceu comigo no verão de 2013. Embora já faça um bom tempo, ela ainda segue viva na minha mente. Essa experiência em uma loja de departamentos me fez refletir com um outro nível de importância sobre os Mistérios da Alma, porque há pouca informação e muita confusão que assusta e oprime as pessoas de todo o mundo.

Na minha vida toda de terapeuta, *coach*, palestrante e escritor, vi dois mundos acontecendo em paralelo. O primeiro mundo das pessoas assustadas, com medo, cheias de crenças limitantes e preconceitos sobre os mistérios da vida e da alma, tratando tudo com um misticismo exacerbado. E, no segundo mundo, pessoas com brilho no olhar, querendo entender o que acontecia com elas, com seus parentes, seus trabalhos, suas famílias. Pessoas querendo se espiritualizar independentemente de religião.

E, quando eu tive a experiência com a Gláucia, na ocasião que eu contei anteriormente, cheguei a duas conclusões importantes.

Primeira conclusão

Milhares e milhares de pessoas estão querendo esse mundo de descobertas, conhecimento e consciência sobre os ditos Mistérios da Alma para melhorarem suas vidas significativamente, na carreira, na família, na saúde e principalmente na prosperidade.

Eu entendi essa necessidade e me concentrei com todas as forças do meu ser para criar junto com a minha equipe este livro e tudo mais ao redor deste projeto. Isso nos acendeu uma chama muito poderosa de motivação em ver o mundo mudar. Queremos – e estamos conseguindo – dar a nossa contribuição com profundidade e profissionalismo.

Segunda conclusão

Definitivamente, eu gosto de comprar com pessoas que eu já tenho uma certa intimidade. Desde uma coisa barata, sem muita importância, até algo de maior valor agregado. Quando a Gláucia me ofereceu camisetas no primeiro momento, o fato de não ter qualquer intimidade com ela me fez rejeitá-la e me manter focado no meu singelo interesse de comprar um chinelo. Mas, após alguns minutos de conversa sobre os Mistérios da Alma, depois do quebra-gelo inicial entre dois desconhecidos, quando ela me convidou novamente para ver as camisetas, não vi nenhum problema em dar uma olhadinha, que mais tarde resultou na compra de seis camisetas. É que naquele momento já tínhamos uma ligação.

E essa conclusão é importante porque ela revela um padrão sobre aprender e evoluir que eu vou comentar logo em seguida. Esse padrão de aprender e evoluir revela um dos maiores bloqueios entre as pessoas que estagnam em seus processos de mudança. Aguarde-me que logo a seguir vou explicar como isso funciona. Para essa explicação de logo mais fazer sentido, eu preciso antes continuar esse raciocínio.

Além dessas duas conclusões, eu também rompi uma crença limitante que eu tinha até o encontro com a Gláucia. Deixa eu explicar melhor: eu estudo desenvolvimento pessoal e espiritualidade universalista (sem conotação religiosa) há bastante tempo.

E a minha jornada, como a da maioria das pessoas que eu conheço, iniciou-se como uma busca para sanar as minhas próprias dores, dificuldades, insatisfação na vida, falta de paz e prosperidade.

Então, deixa eu lhe falar da minha história!

A MINHA HISTÓRIA

Desde pequeno eu fui estimulado a ver a vida de uma forma espiritualista, bem aberta... Isso quer dizer que a visão da espiritualidade sem cunho religioso sempre foi um padrão da educação que recebi.

Fui crescendo e comecei a buscar os meus estudos, o meu caminho profissional. Então, eu ingressei na área da química e não demorou muito para conquistar um estágio. Mais tarde, eu consegui um ótimo emprego na área e me destaquei na minha profissão.

O lado profissional estava dando certo para mim. Até que, no ano 2000, tive um outro desafio... Eu trabalhava muitas horas diariamente, em uma empresa que literalmente "tirava o meu couro". A pressão era enorme e o meu diretor tinha um temperamento muito difícil. Isso aflorou em mim um desequilíbrio emocional muito forte.

Depois de trabalhar um ano nessa empresa, eu acabei entrando em depressão, simplesmente surtei, eu estava completamente drenado pelo trabalho! Mas existem coisas que só o tempo explica mesmo...

Aquilo que parecia o pior momento da minha vida, acabou me impulsionando para mover uma das melhores mudanças que eu já tive na minha jornada. Lembro-me muito bem... Eu simplesmente estava vivendo no piloto-automático. Eu trabalhava demais, estudava demais, era completamente infeliz. Embora eu tivesse tudo o que aparentemente uma pessoa gostaria de ter, eu olhava para dentro de mim e sentia um vazio insuportável, insustentável... Quando chegava na casa dos meus pais, eu brigava com eles, discutia com os meus irmãos... As coisas não estavam indo bem!

Até que um certo dia, quando um sentimento de vazio existencial estava me consumindo completamente, lembro-me que antes de dormir eu supliquei:
– Deus, eu não aguento mais essa situação, eu não posso mais viver desse jeito, eu não aguento mais viver essa vida. E ainda encerrei aquela súplica dizendo:
– Que seja feita a Sua vontade.

Naquele dia, eu fiz uma oração diferente, eu sempre rezei do meu jeito, gostava de seguir uma orientação interna, própria, eu nunca fiz orações prontas. Então, eu peguei um papel e escrevi uma intenção, pensei muito, muito mesmo, naquela intenção. Eu pedi uma ajuda para que a minha vida tomasse um rumo diferente. Só que antes de dormir, eu peguei aquele papel, dobrei em quatro e o coloquei dentro de um livro de orações e de frases de motivação que eu costumava ler antes de dormir. Eu sempre fazia aquilo, quase que de forma mecânica. Mas, naquele dia, talvez pela força do meu desespero, eu coloquei toda a minha intenção e, mesmo cheio de bagunças emocionais, eu deitei e dormi.

Já não aguentava mais a situação que a minha vida estava, as emoções que eu estava sentindo me consumiam. Naquela noite, eu tive uma experiência mística, eu tive um sonho... Naquele sonho, o ambiente que era o meu quarto se transformou em um lugar um pouco diferente, eu percebia que era o meu quarto, mas estava diferente. Eu vi no meio do meu quarto uma mandala de velas acesas e no centro dela havia ervas também. Naquele momento, eu vi um cacique ajoelhado, ele estava de cabeça baixa em sinal de reverência a alguma força maior do mundo espiritual, ele usava um cocar muito bonito. Então, eu fiquei olhando para aquela cena impressionado, quando o cacique se levantou com muita suavidade. Ele me olhou e disse: – Calma, filho. Nós estamos providenciando o que você pediu, você pode confiar, o que você pediu está a caminho. A mudança já vem vindo, confia em Deus, use a sua fé.

Aquele ser ficou novamente com a cabeça voltada para o chão, em sinal de reverência àquela força espiritual. Eu tive uma visão panorâmica daquele lugar que seria o meu quarto, o índio estava segurando uma vela no centro de um círculo maior, dentro de muitos outros círculos de velas acesas. Era até meio estranho, tudo isso era simplesmente o ambiente do meu quarto... Então, aquilo me assustou de tal forma que eu acordei num grande solavanco. "Que sonho intenso!!!". Esse era o meu pensamento antes de voltar a dormir.

Alguns dias depois eu recebi uma ligação de uma pessoa que foi um anjo na minha vida, a minha amiga Cristiane Hernandes. A Cris morava em outro Estado e me ligou porque ela tinha uma proposta de emprego. Essa proposta poderia mudar completamente o rumo da minha vida, só que de imediato eu não havia associado esse telefonema ao meu sonho. Imediatamente, quando ela me convidou para trocar de emprego, qual foi a minha primeira reação? Eu simplesmente não aceitei.

Eu estava cheio de incertezas, todas as vezes que eu pensava em desistir da proposta, o que vinha à minha mente? A imagem do índio. E sabe o que aconteceu? Noventa dias depois daquele sonho eu estava embarcando para o Sul do Brasil. Eu finalmente comecei a mudar completamente a minha vida.

Eu não pude ignorar aquele convite, porque alguns dias depois eu finalmente compreendi que o telefonema da Cris estava relacionado à mensagem do sonho. E essa realmente foi uma mudança poderosa na minha vida. Com o passar do tempo, eu desenvolvi mais e mais a técnica do papel dobrado e outras novas que eu descobri que funcionavam muito bem. Eu testava incansavelmente a cada nova técnica. Então, eu fui colecionando conquistas e novos conhecimentos também. O funcionamento dessa técnica eu aprofundo no meu Programa On-line O Chamado da Luz. (Para saber mais, acesse *www.luzdaserra.com.br/o-chamado-da-luz*).

E essas práticas foram responsáveis por muitos acontecimentos na minha vida...

Mas não só isso. O que realmente começou a mudar a minha realidade profundamente foi começar a perceber como as leis naturais atuam para, mais tarde, desmistificar os mistérios da alma humana. Quando você começa a entender os mecanismos dos ditos "Mistérios da Alma", tudo passa a ser simples e ocupa um novo nível de funcionalidade na sua vida.

Hoje eu posso dizer que tenho uma vida maravilhosa. Eu vivo numa cidade que parece o paraíso, eu tenho o casamento dos meus sonhos. Eu trabalho numa empresa genuinamente espiritualista que me orgulha muito. Tenho sócios incríveis e um estilo de vida que eu adoro.

Sou muito feliz, mas muito feliz mesmo, com o trabalho que eu venho desenvolvendo junto com o Luz da Serra, com os leitores dos mais de 15 livros que eu já escrevi (alguns sozinho e outros em parceria), com os milhares de palestras que eu já ministrei e com os mais de 50 mil alunos de todos os cursos presenciais e on-line que eu já dei, ora sozinho, ora em parceria com a Patrícia Cândido, que é minha amiga e irmã de caminhada.

Frequentemente somos chamados a participar de jornais, revistas e programas de TV. Além do mais, nosso canal do YouTube é um sucesso e já possui mais de 30 milhões de acessos por ano. Eu posso afirmar que alcancei uma prosperidade muito além da que eu sonhei para mim!

Mas você acha que estou contando que tenho a vida dos meus sonhos para me vangloriar? Para contar vantagem e dizer que eu sou "o cara"? Esquece isso...

Caso você não me conheça, eu sou cheio de imperfeições: me estresso no trânsito, me irrito facilmente com pessoas que furam filas, fico "p" da vida quando eu estou em um lugar público e algum "sem noção" fica falando no celular aos gritos com a pessoa do outro lado, sem se importar com o ambiente que ele está, e frequentemente fico chateado quando meu time de futebol perde.

Como você pode perceber, eu sou humano e cheio de defeitos (isso porque eu ainda nem lhe contei para qual time eu torço!). Caramba, adoraria dizer que eu alcancei a iluminação e que, do alto da minha sabedoria iluminada, ensinaria segredos profundos das divindades. Nada disso!

O motivo pelo qual estou contando a minha história para você e também a razão pela qual eu faço isso sem nenhum medo de ser julgado e até criticado é porque eu quero, com toda a força do meu ser, que você tenha o seu caminho encurtado. É porque eu acredito e tenho visto isso acontecer sistematicamente com meus alunos e seguidores, pois, quando você consegue ser quem você nasceu para ser, o mundo se ilumina para você!

Eu descobri que, ao desvendar os Mistérios da Alma com o uso prático da sua espiritualidade e da sua consciência, empregando o português claro, sem frescura, você tem muito mais chances de se dar bem na vida.

— Mas, Bruno, então quer dizer que, se eu desvendar os mistérios da minha alma, vou ter saúde, sucesso, prosperidade, alegria, relacionamentos incríveis e o trabalho dos meus sonhos?

Não! Não quero dizer isso, não. O que quero dizer é que desenvolvendo a sua espiritualidade na prática, sem frescura e direto ao ponto, você aumenta as suas chances de conquistar tudo isso em 100 vezes, talvez até 1000 vezes. Simples assim, entendeu?

Eu não sei você, mas quando eu escolho um destino para tirar férias, eu planejo o máximo que eu posso para aumentar minhas chances de me divertir muito.

Quando eu escolho um restaurante novo para ter um jantar especial com a minha esposa, eu estudo um pouco sobre ele para ter certeza que a experiência vai ser incrível. Até quando vou comprar um tênis de uma marca que nunca usei, faço perguntas a mais, experimento por mais tempo na loja, calço, descalço, faço perguntas ao vendedor, tudo para ter certeza que a minha escolha é a melhor para mim.

O que eu quero? Ajudar pessoas a encontrar sua missão de vida. Quero ajudar pessoas a ter 1000 vezes mais chances de encontrar com este material do que teriam por conta própria.

É razoável para você?

A minha frase é: — **Encontre sua missão, que a felicidade, a alegria, a saúde, os bons relacionamentos e a prosperidade encontrarão você.**

Esse mantra norteia a minha vida. Ele me guia e ajuda a guiar meus seguidores e alunos. Então, tudo o que eu faço hoje é ajudar pessoas que queiram ser ajudadas a encontrarem as suas melhores versões, que sejam o que nasceram para ser, que tenham consciência de suas missões e que, acima de tudo, sejam muito prósperas.

Já lhe adianto que é impossível você me seguir, fazer as práticas que eu ensino e não melhorar sua prosperidade: IMPOSSÍVEL!!!

— Mas, Bruno, você não está sendo um pouco arrogante falando desse jeito?

Sim, estou sendo (só um pouquinho).

Mas eu só falo isso porque eu uso leis naturais, conhecimentos consagrados, testados e aprovados. Não sou o grande responsável pela eficiência do método que eu uso. Aí nós temos que dar créditos para "O CARA" que inventou isso tudo, gosto de chamar Ele de Deus.

Bom, essa é minha história e é nisso em que eu acredito. Também é o que milhares de alunos e seguidores têm acreditado ao seguir o meu conteúdo nos livros, cursos on-line, canal do YouTube e Página do Facebook.

Dá uma olhada em alguns (apenas alguns) dos milhares de comentários que estão disponíveis no canal do Luz da Serra no YouTube sobre o Programa Espiritualidade na Prática (se preferir acesse o bônus on-line deste livro no link: *luzdaserra.com.br/misterios*).

Como você vai ver, são pessoas com a vida totalmente transformada. Eu acredito que, ao consumir este livro e aplicá-lo na sua vida, você vai experimentar as suas vitórias também. Primeiro, vão começar as pequenas conquistas, quase imperceptíveis na correria da vida, mas logo em seguida virão as grandes metas.

Pode ter certeza! Confie e aplique o que você aprender aqui.

A PÉSSIMA CRENÇA NEGATIVA

que morreu afogada no riso!!!

Você se lembra da crença limitante que eu mencionei na conversa com a Gláucia? Espera aí, deixa eu recapitular para você. Eu achava que, para conseguir ajudar aos meus leitores e seguidores, eu precisaria fazer conteúdos complicados, de cara séria.

Sim, eu acreditava em conteúdos complexos e com intenso grau de seriedade (na voz, no olhar, na energia como um todo). Mas o que eu percebi é justamente o contrário: as pessoas precisam de informações claras, apresentadas de forma leve e principalmente que tratem das simplicidades da vida.

Quando eu me abri para isso, comecei a produzir conteúdos mais triviais, focados em acontecimentos corriqueiros. Na verdade, esses são os nossos maiores desafios, os que precisamos de mais ajuda.

No momento em que eu percebi que tinha essa crença equivocada, decidi corrigi-la. Junto com a minha abençoada equipe do Luz da Serra, comecei a produzir um material diferente, com uma levada mais divertida e simples.

Então, naturalmente a ideia mais incrível surgiu: criamos o programa Espiritualidade na Prática dentro do canal do Luz da Serra no YouTube.

A série deu muito (maravilhosamente) certo, o público seguiu a proposta e conseguimos ver milagres acontecendo na vida das pessoas. Os vídeos são baseados em conteúdos simples que explicam os Mistérios da Alma e estão presentes na vida de todos nós, sem exceção!

Esses vídeos estão disponíveis na internet e você pode acessá-los gratuitamente entrando no canal Luz da Serra do YouTube. Eles continuam a criar mais e mais histórias de sucesso e superação, dia após dia! Inclusive, se você tem uma dessas histórias incríveis de sucesso, transformação, seja na área que for, lembre-se de postar um comentário contando a sua história e nos dizendo mais sobre você e o que foi fundamental na sua jornada de mudança.

Todas as histórias que recebemos são combustíveis para todos nós aqui do Luz da Serra. Nós ficamos faceirinhos – expressão gauchesca que diz que ficamos felizes da vida – quando essas histórias chegam até nós.

Depois de tantos anos vivendo essa jornada, eu percebi um padrão que me impressionou muito. Você se lembra que eu tive duas conclusões sobre a conversa com a Gláucia? Uma delas explica o motivo pelo qual algumas pessoas simplesmente não conseguem mudar e nem evoluir.

Então, agora eu vou concluir essa visão: É que as pessoas precisam de um ambiente enriquecido. Isso significa ter à sua volta algo que as inspire a evoluir, pensar, crescer e se desenvolver. Mas não é um simples ambiente enriquecido, o principal detalhe é que nenhum de nós gosta de se sentir pequeno, para baixo ou inferior. Então, quando estamos em um ambiente enriquecido de informações boas e edificantes, nós nos sentimos preparados para evoluir.

O grande problema é quando essas informações expõem as nossas feridas de forma agressiva, aí a tendência é nos fecharmos mais ainda. Você quer evoluir, é impossível que não queira. Porém, você sente que o ambiente ou as pessoas que o procuram querem que você evolua à força, muitas vezes expondo suas fraquezas de forma intimidadora.

Então, qual é o segredo?

Segurança! Sim, segurança.

— Mas, Bruno, é tão simples assim? Você não acha que é muito mais do que segurança?

Caramba! Conquistar segurança é mais difícil que conquistar juventude eterna...

Já é difícil mudar, então imagine fazer essa mudança se sentindo intimidado, invadido, agredido ou atacado? É assim que nos sentimos quando alguém aponta o dedo e mostra as nossas piores falhas. Essas pessoas até podem estar certas, mas danem-se, você não quer se sentir exposto ou atacado. Ou quer?

Se você respondeu que quer, das duas, uma: ou você é um ET e as regras de emoções humanas não lhe servem ou você não se conhece muito bem e ativou agora o modo "Sou perfeito, não sou orgulhoso, isso não acontece nunca comigo".

Muitas pessoas dizem que seu marido, sua esposa ou algum familiar são resistentes às mudanças. Atendi muito anos como Terapeuta Holístico e já ouvi pessoas falarem em consultório que mudar é difícil, que evoluir e prosperar é mais ainda.

Eu compreendi que, quando alguém é muito resistente em fazer as mudanças necessárias para evoluir, é porque o seu orgulho foi atacado fortemente em algum momento. Quando você entende esse mecanismo, a fórmula da mudança se torna simples. Essa fórmula possui dois pilares que são simples e, ao mesmo tempo, extremamente impactantes e poderosos:

Pilar 1 - Sintonia Elevada e Pilar 2 - Mentoria. Deixa eu lhe explicar melhor como esses dois pilares funcionam.

Pilar 1 - Sintonia elevada

Significa justamente fazer parte de uma harmonia de coisas, pessoas, acontecimentos, informações, músicas e entretenimentos que vibrem em níveis mais elevados.

Pilar 2 - Mentoria

Significa ter uma ou mais pessoas que ajudem você a seguir com mais segurança e rapidez o seu caminho. Esses mentores, que já trilharam as suas jornadas e venceram os seus desafios, podem orientá-lo a encurtar o seu aprendizado pela dor.

Quando você consegue unir Sintonia Elevada e Mentoria, você acessa essas duas regras de ouro poderosas para mudar a sua vida. Mas o que eu aprendi sobre isso é que, mesmo com as regras de ouro vigentes na sua vida, você só se abre para o novo se não se sentir invadido, exposto e atacado.

Você não quer ser julgado, porque já faz isso com você diariamente.

Você se julga por não ter vencido uma batalha interna, por não ter sido bom o bastante com algum fato na sua vida, por não ter conseguido agradar as pessoas que ama, por não ser admirado como queria pelas pessoas que são importantes para você e até por não ter colocado em prática um grande sonho.

Você já se julga diariamente, o que lhe faz muito mal. Isso basta. Você não precisa que mais alguém julgue os seus atos e a sua maneira de ser.

Por essa razão, crescer e evoluir vai acontecer de forma deliciosa e leve, caso você veja coerência e ética nesse caminho. Você evolui quando sente humanidade nas pessoas que o conduzem nessa direção.

– Você precisa ver que mais pessoas cometem erros. Entretanto, elas aprendem e já seguem em frente.

– Você precisa sentir confiança.

– Você precisa saber que não é a única pessoa que está insegura nas suas empreitadas, que há muitas pessoas se sentindo assim, mas, mesmo com o medo, é possível agir e que somente com atitude o medo passa.

– Você não pode se sentir ridículo sozinho! Isso mesmo, por mais que você faça alguma coisa que esteja gritando como algo inaceitável no seu senso pessoal do ridículo, você tem de confiar que, às vezes, é necessário "dar a cara a tapa".

– Você precisa saber exatamente o que fazer para mudar o rumo da sua vida, mas precisa de um caminho simples, no qual consiga se mover passo a passo sem complicações.

– Você precisa ter confiança no caminho que está seguindo, precisa de ajuda para saber se está fazendo as escolhas certas.

– Você precisa ter força para lidar com o olhar desconfiado das pessoas que não lhe apoiam e ainda criticam suas escolhas. O pior é que muitas vezes essas pessoas são as que mais amamos. É muito difícil lidar com isso e você precisa dessa força para que possa conquistar os seus sonhos, mesmo que isso signifique não agradar todo mundo.

– Por fim, você precisa ter a confirmação que ilumina a sua vida. Aquela chama interna que diz que você tem algo especial dentro de si. Você precisa e quer manter isso vivo. Você deseja ter a certeza que não veio a este mundo para pouco e sabe que algo muito especial lhe espera.

Acredite, isso é real. Você precisa encontrar exatamente essa convicção. Eu e a minha sócia Patrícia Cândido estamos lapidando esse método desde que começamos a trabalhar oficialmente juntos em 2005. Nunca desistimos dessa linha de pensamento.

Em 2015, finalmente conseguimos dar vida ao que chamamos de Iniciados, um grupo de estudos on-line de desenvolvimento da espiritualidade e da descoberta do propósito de vida.

Nessa comunidade on-line nossos alunos são treinados a utilizar esses dois pilares, que chamamos de duas Regras de Ouro, em todas as áreas de suas vidas.

Nem preciso dizer que valeu esperar tanto tempo para que o nosso método fosse lapidado e organizado, né?

Hoje o Iniciados é uma plataforma on-line com mais de 1500 membros que formam uma família de transformação pessoal. Para saber mais sobre os Iniciados, acesse *iniciados.com.br*.

> Eu acredito em você!
> Você está pronto
> para acreditar também?

Este livro "Mistérios da Alma" é a minha contribuição para você aproveitar a força dessas duas regras de ouro e também de um ambiente enriquecido com informações preciosas.

Trata-se de uma energia positiva e iluminada para que você jamais se sinta inferior. Ao contrário, você vai se perceber mais humano e mais decidido a cometer erros no caminho do acerto.

Que você tenha força abundante para ser o que nasceu para ser e que desperte todo esse poder que você sempre soube que existia.

OS MISTÉRIOS DA SUA ALMA

No meu método de trabalho, desde que ingressei no caminho da transformação pessoal, eu tenho o costume de repetir muitos conceitos. Algumas pessoas me criticam por isso, outras amam essa característica e costumam me elogiar demais.

O fato é que faz parte lidar com críticas e elogios na vida. Mas estou dizendo isso porque você vai ver que, em muitos pontos, quando eu acho importante, eu reviso temas que entendo serem necessários para desenvolvermos perícia e domínio. Então, quero repetir, mas já lhe adianto que faço isso com o propósito de que você entenda o quanto esse conceito é importante e o quanto você precisa dominá-lo para avançar mais e melhor na sua jornada.

Meu maior objetivo com este livro é ajudar você, sua família e seus amigos a criar um ambiente enriquecido que mude a sua vida e eleve a sua sintonia. Portanto, para esse método simples e fácil funcionar, simplesmente siga as sugestões de como usar este livro que eu coloquei na introdução.

Você vai gostar demais de tudo o que tem aqui! Agora vamos desvendar os Mistééééééééérios da Alma.

1. Por que Sentimos Calafrios e Arrepios?

Eu decidi começar por este Mistério da Alma, porque é umas das questões que mais me perguntam lá no YouTube. Vamos partir de um princípio básico: com frequência, as pessoas simplesmente ignoram a espiritualidade.

— Mas, Bruno, então, para começar, diga-me o que é espiritualidade?

Espiritualidade é um estado de consciência em que você considera, entende e vive com a compreensão de que o mundo não é apenas o que você pode ver ou tocar. Em outras palavras, você precisa entender que pensamentos se tornam físicos, emoções criam a sua realidade e que não existe apenas o plano terrestre, mas também o plano extrafísico, que está além do tangível.

Muitas vezes, as pessoas não conseguem enxergar isso. Então, tornam-se ignorantes espirituais... E não há nenhum problema nisso! Eu, por exemplo, já fui um ignorante espiritual, mas procuro dia após dia acabar com essa ignorância de várias formas. Eu também tento acabar com a minha ignorância em relação à alimentação, aos exercícios físicos ou a qualquer outra informação que seja essencial para a minha vida.

Entenda que o seu corpo físico é apenas o seu veículo. Você até considera que é você mesmo, mas não é quem você é e sim onde você está neste momento. O seu corpo físico é um envoltório de energia e essa energia propaga além do que você é em essência. A luz que vem do seu corpo, da sua aura, do seu magnetismo e da sua essência extravasa o seu corpo físico. Ela forma um campo de energia que é a sua essência energética. Esse campo se manifesta de várias maneiras. Uma delas, explicada pelos chineses (os acupunturistas, principalmente, irão compreender esse conceito), é que somos compostos de filamentos de energia que permitem que a energia circule como se fosse uma árvore, que tem irrigação nas folhas, raízes e caule.

Mas onde eu quero chegar? Quando você entra em contato com determinadas energias, o que você sente? Você sente mais ou menos a intensidade dessas energias? Elas tendem a passar por você, ou seja, o arrepio acontece quando se tem contato com alguma energia, boa ou ruim, normalmente em uma essência bem diferente da sua. Por exemplo, é impossível que você nunca tenha sentido um arrepio diferente quando alguém fez uma massagem em algum ponto seu que estava dolorido... Mas o que é esse arrepio gostoso? Quando a pessoa encontrou um ponto de tensão no seu corpo físico e o apertou com o dedo, tocou nesses filamentos e desbloqueou os campos energéticos. Dessa maneira, a sua energia pode circular, seguir o seu fluxo. É como um encanamento obstruído, quando você libera essa obstrução, a água volta a correr livremente. E esse fluxo maior de energia, que gera esse "siricutico", nada mais é que uma passagem de energia.

Os meus amigos diziam que cócegas e arrepios você sente somente até os 12 anos, quando passar disso é outra coisa que você sente (risos). Os maliciosos irão entender. Porém, há muitas pessoas puras lendo isso. Elas não vão compreender nada, mas tudo bem!

Brincadeiras à parte, o fato é o seguinte: quando você recebe uma grande descarga de energia, acontece o arrepio.

Na prática, o que você precisa entender? Imagine a situação: você chegou perto daquela pessoa mal-humorada e sentiu um arrepio ou mal-estar. Essa é a típica energia da qual você precisa se proteger. Mas, por outro lado, quando chega a algum lugar positivo, pode ser na natureza, por exemplo, e você sente um arrepio, é uma coisa boa. Um fluxo bom de energia passou por você. E por que esse arrepio acontece também no contato sexual? Claro que eu não quero deixar você curioso, mas esse é um assunto para o próximo livro. Contudo, para dar uma pequena introdução, posso dizer que é a mesma circunstância. No momento da relação sexual, existe uma troca de energia muito estimulada por sensações e sentimentos, e o disparo do orgasmo é um grande fluxo de energia que acaba de ser liberado.

Para concluir: por que acontece o arrepio, então? Porque ele mostra para você que uma quantidade grande de energia está passando ao mesmo tempo. Por isso, às vezes, quando você entra em algum lugar, sente um forte arrepio e uma sensação ruim. Isso pode ser um espírito? Pode, mas também pode ser uma energia acoplada ao ambiente. Ali provavelmente aconteceram muitas brigas e discussões.

Nós não podemos generalizar. Quando você sentir o arrepio, pergunte-se: por que estou sentindo isso? É bom ou ruim? E quando for legal é só curtir, prestar atenção e ficar presente naquele momento, pois pode ser uma entidade espiritual querendo lhe passar uma bênção. Então, feche os olhos e eleve os pensamentos a Deus, sempre com o sentimento de que está tudo bem. Entretanto, quando for um lugar pesado, com aquela energia densa, pode ser um grupo familiar difícil ou uma reunião esquisita, saia desse local e também eleve os seus pensamentos a Deus. Proteja-se e acesse a sua força maior, a sua energia essencial.

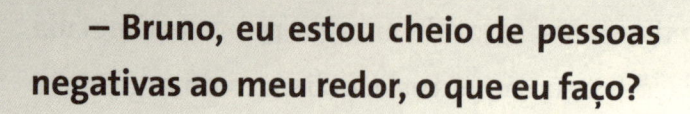

— Bruno, eu estou cheio de pessoas negativas ao meu redor, o que eu faço?

— Eu quero evoluir, mas o meu esposo não deixa! Ninguém me apoia, Bruno!

Olha, eu já escutei muito essas expressões. Seja em consultório, seja lá no nosso canal do YouTube, seja por aí. Simplesmente as pessoas dizem isso com frequência aos quatro ventos... É muito real!

Existe um mantra muito conhecido, o *Om mani padme hum*, usado pelos budistas e hindus. O mundo inteiro já está utilizando ele também em função da globalização da

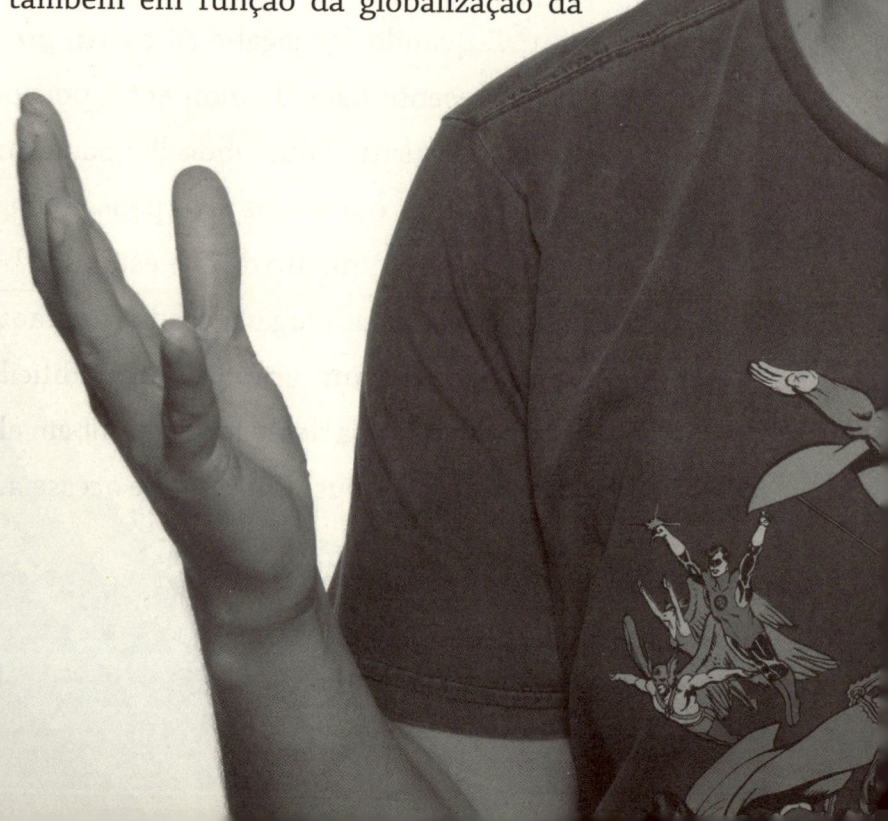

2. Por que eu atraio pessoas negativas?

espiritualidade. Você sabe um dos significados dessa expressão? Significa que da lama nasce a flor de lótus. Apesar de ser um ambiente fétido, ainda assim, ela consegue florescer nesse lugar inóspito. A flor de lótus é incrível. Mas qual a grande metáfora que fazemos ou pedimos quando entoamos esse mantra? Que é exatamente nos lugares mais escuros que podem nascer as coisas mais bonitas.

Um dia, um amigo me disse que os grandes mestres espirituais trabalham no plano umbral, na escuridão, porque é lá que a luz deles é necessária. Então, quando o assunto é atrair pessoas negativas, a primeira coisa que você precisa saber é exatamente isto: você atrai essa negatividade, porque é um mensageiro da luz. Se você estivesse convivendo em um lugar em que tudo é iluminado, a sua luz não seria tão necessária, esse é o *primeiro ponto*.

– Mas, Bruno, essas pessoas não querem saber de mim, não estão nem aí para mim, estão "cagando e andando".

Essa é a expressão mesmo, o pessoal não gosta que eu fale essas coisas, não, mas a verdade é que as pessoas estão cagando para você, vamos utilizar o português bem claro. Depois disso, você tenta fazer a sua parte, procura saídas. Porém, acaba se estressando, porque as pessoas não querem saber de nada, não querem ouvir você. Aí surge o *segundo ponto*: não existe como ensinar ensinando. Hã? É isso mesmo, não dá para ensinar ensinando, você precisa ensinar pelo exemplo. Primeiro faça a sua mudança, busque os seus estudos e práticas e deixe que as pessoas que você quer que mudem saibam o que você está fazendo. Não adianta insistir para elas fazerem! Depois desses aprendizados, você vai ficar mais próspero, feliz e saudável.

No momento certo, as pessoas perceberão: – Nossa, ele está mais paciente! Nossa, ele está mais legal! Nossa, ele está sabendo perdoar! Ele não está mais se estressando e não está mais tão irritado. Essas pessoas vão olhar para você e perguntar qual o seu segredo... Nesse momento, elas vão procurar você, porque agora elas também querem a mudança!

Você estava fazendo errado, queria mudar os outros antes de mudar a si mesmo. Por que? Aí vem o *terceiro e talvez um dos mais importantes pontos*: as pessoas negativas que você atrai para sua realidade são reflexos da realidade interna que você precisa curar.

Em outras palavras, elas estão aflorando a raiva que você tem, a sua falta de paciência, compaixão e tolerância. Inclusive o excesso de controle que você tenta ter sob as pessoas, não as aceitando com elas são. Essas pessoas negativas, na maioria das vezes, estão revelando o quanto você ainda não está centrado.

Então, por que há tantas pessoas negativas ao seu redor? Para mostrar o quanto você tem defeitos e ainda precisa melhorar. Isso quer dizer que você tem muito a crescer. Quando isso acontecer, você pode utilizar o segundo ponto. Assim, ao ser exemplo para os outros, você mudará essa realidade!

Fique muito atento a esses aspectos para entender porque existem pessoas negativas ao seu redor. E mais uma questão importante: só o fato de ficar reclamando, chorando e dizendo que ninguém lhe apoia já mostra que você está caindo na cilada do terceiro ponto. Você não está compreendendo nada.

Preste muita atenção nas suas atitudes e palavras. Só dessa maneira você poderá continuar o seu caminho para a tão sonhada evolução!

3. O mistério das lâmpadas que queimam

Você já passou por aquela situação em que as lâmpadas queimam à toa na sua casa? Já aconteceu com você ou alguém que conhece? E quando estraga a máquina de lavar roupa, a de secar e também a geladeira, tudo em sequência? Já aconteceu com você?

Em muitos casos, as lâmpadas queimam, os equipamentos estragam e os eletroeletrônicos torram por negligência. Principalmente quando há dúvida em relação à tensão elétrica, se é 110 ou 220 volts. Então, vamos ignorar esses casos! Também existem lâmpadas com qualidade horrível, soquetes de lâmpadas enferrujados, tiramos esses casos também! Eu, como químico industrial, amo os métodos científicos, amo unir espiritualidade e ciência para deixá-los no mesmo patamar.

Agora eu vou falar dos casos de consultório, que eu vi se repetirem por muitos anos. São situações com alunos ou consultantes que chamaram eletricistas, examinaram a corrente elétrica, verificaram a qualidade dos soquetes, consultaram as melhores marcas de materiais elétricos, mas mesmo assim as lâmpadas e os eletroeletrônicos não paravam de queimar e estragar.

Primeiro, eu quero ajudar você a entender que a espiritualidade é um poder, uma força capaz de levá-lo da depressão para a realização, de transformar seu sentimento de falta de confiança no de magnetismo. A espiritualidade é o seu verdadeiro estado de consciência. Imagine que você tenha um equipamento em casa, que está cheio de recursos, mas você não leu o manual e não sabe o que aquele equipamento faz... Então, você utiliza somente a base, só o principal objetivo. Igual ao celular nos dias de hoje. Pode ter certeza que os celulares fazem muito mais coisas que nós estamos acostumados, como telefonar ou usar o WhatsApp. Com você também é assim!

Você pode fazer muitas coisas, ser muito mais feliz na sua vida, na sua prosperidade, nos seus relacionamentos, na sua missão de vida, na sua saúde, mas você não sabe como. Esse elo perdido eu chamo de espiritualidade, que é entender a sua vida!

Você é um campo de energia, é muito mais do que pode ver e tocar. O que está ao seu redor é muito mais do que você pode ver. Infelizmente, a nossa cultura atual é a do esquecimento. Quando você fala que quer desenvolver a sua espiritualidade, alguns lhe chamam de ovelha negra, outros dizem que você é o bruxo da família, mas você sabe que tem uma força especial...

Fala para mim, você sabe que tem uma energia especial e também que a vida é muito mais do que aquilo que está experimentando, não é mesmo? E, por conta disso, você se sente angustiado, porque não sabe exatamente como agir, mesmo sentindo que a vida é muito mais do que você está vivendo neste momento?

Todo esse movimento eu chamo de despertar da espiritualidade, que é algo que você constrói para viver melhor em todas as áreas da sua vida. O espiritualista que desenvolve a sua espiritualidade, manifesta amor nos seus relacionamentos, tem mais prosperidade, saúde, realização profissional e pessoal. Eu acredito que espiritualidade é um adjetivo de vida e eu falo de espiritualidade sem citar o melhor caminho. A melhor religião é a do coração e a melhor filosofia é fazer o bem.

– Nossa, Bruno, como você é repetitivo.

Olha, eu sou assim, porque não aprendemos. Eu estudo isso há muito tempo e ainda erro em tantas coisas... E eu também sei que você não aprende em um primeiro momento.

Então, existem alguns assuntos que são a base do que eu ensino e eles precisam ser falados todos os dias, para que possamos entender que, acima de tudo, quando a espiritualidade cresce, as egrégoras se completam e ficamos em um patamar de amor. E aí, não há a competição de qual o melhor caminho, a melhor filosofia ou a melhor religião, existe apenas uma competição interna, individual em que o objetivo é ser melhor a cada dia.

É nesse caminho que procuro trazer informações práticas, como as lâmpadas que queimam à toa, que revelam algo muito clássico e simples. Quando eu era moleque acontecia muito isso comigo.

Da mesma forma que algumas pessoas tomam choque quando entram no carro, também existem explicações plausíveis para essas manifestações. Mas, dentro do contexto da bioenergia e da psicobioenergia, ou do campo de energia que cada um de nós possui, o nosso corpo físico é o que vemos e o corpo energético é o que não enxergamos.

A Bíblia chama de corpo de luz ou até mesmo aura, os gregos chamavam de psicossoma, o Padre Landell de Moura chama de perianto e muitos outros mestres chamavam de outros nomes, assim como as diversas culturas pelo mundo.

Então, nós temos esse campo de energia que pode ser fotografado e comprovado cientificamente.

Eu mesmo trabalhei durante três anos com uma técnica chamada bioeletrografia, que fotografa o campo de energia unificado ao redor do corpo. Através dessa fotografia, podemos até perceber doenças antes de nascer, características comportamentais que podem ser alteradas e as verdadeiras causas desses comportamentos.

Mas o que acontece? O nosso campo de energia é um balanço entre o masculino e o feminino, entre o *yin* e o *yang*, entre as forças de introspecção e extroversão. Esse campo energético merece ser equilibrado. No entanto, existem emoções, pensamentos e sentimentos que o desequilibram para um lado ou para outro.

A tensão, o estresse, a preocupação, a hiperatividade e o pensamento agitado desequilibram a balança para o que eu chamo de mais *yang*. As lâmpadas que estouram ou os equipamentos que queimam com facilidade na sua casa são o excesso de *yang* da pessoa ou pessoas que vivem naquele ambiente. Ao acionarem a lâmpada, o campo de energia delas utiliza o equipamento como um descarregador de acesso.

Há pessoas que pegam em um cristal e ele racha, porque a energia *yang* está em desequilíbrio. E de onde vem isso? Do estresse, da tensão, do emocional abalado, daquela pessoa de pavio curto, que você não pode tocar que já reclama e também despeja um monte de problemas. Com você nunca foi assim? Eu já fui e, se você não é, parabéns, pois a maioria das pessoas é assim mesmo.

Quando você está muito hiperativo, ansioso, estressado e agitado, está com excesso de energia *yang*. No momento em que você for acionar uma lâmpada, descarrega essa energia e a coitadinha da lâmpada se vai! Lembrando que se você não mudar a sua vibração e não melhorar a sua energia, isso acontecerá repetidamente. Existem muitos caminhos para buscar o equilíbrio, eu falo sempre sobre isso nos meus vídeos.

Especialmente quando falamos de desmistificar assuntos, como, por exemplo, o porquê de as lâmpadas queimarem, lembre-se de garantir que a oscilação da sua rede elétrica está normal dentro daquilo que é permitido. Observe ainda se o soquete da lâmpada não está enferrujado e dá pequenos curtos, isso também pode diminuir a qualidade. Às vezes, você quer economizar e compra uma lâmpada *"ching ling"*, ou seja, um produto barato, sem marca, de baixa qualidade.

Existe a influência do nosso campo de energia e ela é real. Por outro lado, existem coisas de ordem prática que podem estragar os seus equipamentos e queimar as lâmpadas. Então, uma das coisas que eu gosto de fazer é sempre verificar todas as variáveis dos problemas antes de tirar alguma conclusão precipitada!

você sabe o que é?

Você está na sala e, quando vai falar, outra pessoa tem a mesma ideia junto? Você estava pensando em alguém que não via há anos e essa pessoa liga? Ou você liga para alguém e essa pessoa diz: – Nossa, estava pensando em você agora!

O nome disso é telepatia! Imagine agora as seguintes situações:

– Numa reunião, você tem uma ideia e, no mesmo instante, alguém expõe para todo mundo a ideia que você acabou de ter;

– Você chega a uma reunião na hora em que comentam ou perguntam sobre você;

– Você pensa em alguém no momento que esse alguém liga;

– Um dia você acorda e se recorda de um amigo com quem não fala há muito tempo e, nesse mesmo dia, recebe uma mensagem dele;

– Você e um amigo falam juntos, ao mesmo tempo, sobre alguma coisa que queriam falar um para o outro.

Com certeza, já aconteceu alguma dessas situações com você! (Agora as amigas se olham e dizem: – Ai, amiga, a gente sempre faz isso!) Isso pode não parecer nada, mas é pura telepatia. Do grego *tele*, "distância", e *patheia*, "sentimento", a telepatia é uma forma de percepção além dos sentidos físicos (tato, olfato, visão, paladar, audição). Por meio dela, uma pessoa pode captar ou propagar pensamentos e sentimentos de uma ou mais pessoas próximas ou distantes.

– Mas, Bruno, qual a diferença entre telepatia e mediunidade?

Telepatia e mediunidade acontecem no mesmo campo de transformação e percepção. Deixa eu explicar para vocês. Thomas Edison, o inventor da lâmpada, descobriu há muito tempo que o nosso cérebro atua como um transmissor e um receptor de energias. Em outras palavras, no momento em que está falando ou pensando em algo ou alguma pessoa, você está transmitindo ondas.

Como alguém que joga uma pedra na água e cria ondas. Quando estou pensando em algo ou alguém, estou emitindo ondas na direção desse algo ou alguém, e, da mesma maneira, o cérebro recebe essas vibrações. A telepatia é o momento em que você recebe essa vibração, percebendo-a. Da mesma forma, quando você emite, também vai percebê-la.

O fenômeno mediúnico está muito ligado a espíritos e fenômenos espirituais. Já a telepatia está relacionada aos processos da Terra. Uma premonição é um mecanismo da telepatia, pois o cérebro físico possui a propriedade de emitir e captar ondas. E é ele que proporciona a percepção de que você está tendo telepatia. E não vem me dizer que você não acredita nisso, porque certamente você já pensou em algum momento em alguém e essa pessoa ligou para você. E isso fará diferença para você!

— Mas, Bruno, como eu posso usar a telepatia na minha vida?

É bem fácil, olha... Comece a ficar mais atento a isso. Quando as percepções vierem, abra o seu radar. Será que estão falando de você? Cuidado também para não ficar paranoico! Mas aumente essa percepção! É delicioso você estimular o seu sexto sentido para que ele fique cada vez mais treinado.

E como treinamos o sexto sentido? Dando asas para ele e percebendo isso. Por exemplo, eu tenho o costume de esperar que não me liguem quando eu começo a pensar muito em alguém. Se uma pessoa vem seguidamente à minha cabeça, já pego o meu celular e mando uma mensagem pelo WhatsApp: **– Oi, amigo, pensei em você, estou lhe mandando um beijo!**

Você não tem desculpas para não usar, é muito fácil. Diga que está tudo bem! Essa é uma forma de usar a telepatia. Já quando sente uma aflição ou um sentimento ruim, use a telepatia ao se purificar, fazer uma meditação, a sua Conexão de Quatro Etapas, o seu exercício de limpeza psíquica ou o seu trabalho energético. Fique bem e aumente a percepção da telepatia.

Assim, você aumenta os seus superpoderes! Todos os super-heróis tinham coisas deste tipo: visão além do alcance, tipo o Lion do Thundercats, que utilizava a espada justiceira para ativar a visão: – Dê-me visão além do alcance!

O Superman tinha a visão de raios-x. Existem outros grandes que eu adoro, o Lanterna Verde, a Mulher Maravilha... Mas que poderes eram esses? A maioria são poderes parapsíquicos, mediúnicos, sensoriais, extrafísicos e telepáticos. Isso é uma metáfora para os poderes que também podemos desenvolver.

Esses poderes deixarão você uma pessoa mais sensível e elevada, que consegue resolver os seus problemas, que ajuda as pessoas. Para isso, você precisa de uma base. Eu gosto de falar de superpoderes, mas você também precisa se dedicar aos seus aprendizados.

Quando você aprender a telepatia, irá melhorar a sua vida e, automaticamente, irão melhorar as coisas ao seu redor. Eu tenho certeza que desenvolver o sexto sentido será um dos seus maiores desejos, porque, quando você desenvolve essa percepção, consegue enxergar além do alcance.

Não há nada melhor do que continuar estudando e aplicando tudo na sua vida. Você irá aumentar o seu estado de amor e de perdão, aprenderá a ser firme, dará limites e encontrará limites, achará a sua prosperidade e, então, poderá ser quem você nasceu para ser. Não adianta, se nós não somos quem nascemos para ser, nós não seremos felizes.

5. Você é Macumbeiro?

– E aí, você é macumbeiro ou macumbeira?

Olha que eu acho que você é, hein!?

Quem estuda um pouquinho, sabe que macumba é um instrumento. Então, um macumbeiro nada mais é que um tocador de instrumentos. É uma grande ignorância quando falamos que "ele é macumbeiro" de forma pejorativa. Em outras palavras, se você toca a macumba, que é um instrumento de percussão, você é macumbeiro.

Bom, a questão é a seguinte, nós sabemos que infelizmente na linguagem coloquial não falamos o significado real. No contexto coloquial, macumbeiro é quem pratica magia negra. Porém, magia todo mundo faz... Quando você pensa em um carro maravilhoso, deseja o relacionamento dos seus sonhos, utiliza a lei da atração, com pensamento e sentimento na mesma direção, você é um criador consciente. E a Física Quântica já comprova que você está fazendo magia, ou seja, magia é a manipulação de energias mentais, externas e internas, para que você possa fazer o seu trabalho de cocriar o seu futuro.

Então, como já disse, todo mundo faz magia. Você pode até não gostar, ficar bravo... Isso é a ignorância que temos, pois nós não entendemos a magia. Magia é a manipulação de forças naturais. Se você coloca o seu pensamento, sentimento e emoção na direção de um sonho, você está fazendo magia.

Mas o conceito coloquial de macumbeiro é: aquele que faz trabalhos de magia negra, magia intencionada, que também é conhecida como goécia ou feitiçaria, que é uma coisa mais baixa ainda. Porém, magia branca é utilizar pensamento, sentimento e emoção para fazer uma coisa boa. Já a magia negra é pensamento, sentimento e emoção para fazer uma coisa ruim.

O que eu vou falar agora me assustou. Há uns dias eu estava lendo alguns comentários no YouTube e vi que uma pessoa, um perdido no mundo, escreveu: – Como faço para matar alguém com a força do pensamento?

Eu olhei aquilo, ri e fiquei chocado, mas, no mesmo momento, eu tive um *insight*: TODO mundo já faz isso! Quando olhamos para o governador, o presidente ou a sogra e descarregamos um universo de críticas e reclamações, nós já estamos matando essa pessoa, mas num nível menor. Sim, porque diminuímos a energia dela. Ao jogarmos e rogarmos praga, mandamos energia negativa e já estamos destruindo aos poucos essa pessoa. Então, a minha resposta para esse sujeito sem luz que perguntou isso é: – Você já faz isso só de ter feito essa pergunta!

Quando eu falo mal de alguém, já estou diminuindo a força dessa pessoa. Isso não é uma tentativa de acabar com ela? Você pode dizer: – Ah, mas não é consciente! E eu nem falei que é consciente. O que eu quero dizer é que, se macumba é fazer o mal para alguém utilizando as forças sutis que são manipuladas para conquistar isso, quando você emana todos os dias um desejo negativo ao seu chefe, funcionários, vizinhos ou ainda cultiva uma intenção ruim em relação a um governador, presidente, prefeito, vereador, sogra ou genro, você está fazendo macumba para essas pessoas.

Num contexto coloquial, as pessoas que utilizam e estudam as religiões afrodescendentes entendem o que eu quero dizer. Inclusive eu comecei explicando o que é verdadeiramente a macumba é o quanto é errado usar esse termo para outros significados. Cada vez que as pessoas associam pejorativamente o nome macumba a "fazer o mal", literalmente estão expressando que todo mundo é macumbeiro quando pensa mal dos outros.

Você é macumbeiro quando deseja mal para os outros. Você é o macumbeiro de si mesmo quando fala: – Eu não vou conseguir, não vai dar, eu sou a pior pessoa do mundo.

Às vezes, as pessoas me falam:

– Para você é fácil! E eu que tenho três filhos, sou divorciada e perdi o emprego.

Quando eu escuto que "para mim é fácil", eu penso em todos os dias em que gravo vídeos e na minha vida que circula além do YouTube. Alguns seguidores também me dizem:

– Bruno, para de ouvir essas pessoas.

E eu digo que eu não posso! Pois eu tenho de ouvir igualmente as críticas e os elogios, pois elogios vêm das pessoas que dizem que está tudo bem e as críticas vêm das pessoas que acham que não é possível fazer essa transformação, pessoas que não acreditam que a espiritualidade pode mudar a realidade delas. E é para essas pessoas que eu também trabalho. Desde que elas queiram mudar, é claro.

Então, é por causa disso que eu dou atenção às pessoas que falam besteira ao meu respeito, porque eu não as considero *haters*, ou seja, "pessoas que odeiam" na tradução para a língua portuguesa. Esse termo em inglês é utilizado para classificar aqueles que praticam *bullying* virtual.

Eu não tenho perseguidores, apenas pessoas que discordam veementemente do que eu falo, e elas estão certas, desde que também sigam alguma coisa.

Bom, mas a minha pergunta é:

– Você é macumbeiro? Quantas vezes você já foi macumbeiro? Não disfarce! Hoje mesmo, quantas vezes você fez macumba?

Nesse contexto que eu estou explicando, que nada mais é que falar mal dos outros!

Eu desejo que a única macumba que você faça é tocar um instrumento! Toda vez que você coloca emoção, sentimento e pensamento na direção de alguma coisa, seja boa, seja ruim, é magia, lei da atração, visão quântica da construção do seu universo!

6. O perigo de acender uma vela para oração

E aí, presta acender vela no seu lar?

Muitas pessoas já me escreveram: – Bruno, que história é essa de que não é bom acender velas no lugar onde eu moro?

Em um dos episódios do Espiritualidade na Prática eu falei da importância de ter um altar dentro de casa ou mesmo um ponto luminoso, que não precisa ser exatamente um altar, mas é aquele lugar em que você faz sua ancoragem espiritual. Todos os dias, quando chega e sai de casa, ao passar por ele, você recebe a sua própria bênção espiritual construída. Nesse momento, muitos seguidores do nosso canal no YouTube comentaram: – Então, está legal, mas daí eu vou acender uma vela no meu altar.

Não, por favor, só não acenda vela.

Se você gosta de vela vamos pensar de outro jeito. Eu sei que muitas pessoas vão dizer que sempre acenderam velas. Se você é uma delas, acendeu vela a sua vida inteira, gosta de acender e que não vai mudar isso, está bom, não mude a sua maneira de ser. Não vamos discutir, está bem?!

Mas deixa eu falar para você da minha experiência e das minhas pesquisas sobre espiritualidade, desenvolvimento pessoal e tudo o que é ligado a essa área, se é que você me entende. Há mais de 15 anos eu estudo os "Mistérios da Alma" e descobri que os seres de luz não precisam do fogo e da energia eletromagnética da vela, apenas da intenção que aplicamos a elas.

Você já acendeu velas dentro de casa para o amparador, o anjo de guarda ou um santo? Saiba que esses seres realmente não precisam da vela. Existe uma ancoragem, existe uma vibração, existe um poder... Quando você tem uma vela, ela é acendida para espíritos. E qual é a intenção, qual é o lance, qual é a situação? Pelo fato de a vela ter uma intenção dos seres humanos de emitir uma luz para alguém, você sabe o que acontece?

Ela acaba atraindo espíritos não tão evoluídos quanto os santos, os anjos e os mestres aos quais você se conecta. Os seres de luz não precisam da vela como instrumento, mas a vela acesa como instrumento acaba atraindo outros seres menos evoluídos.

E não é isso o que você quer, certo?

Quando eu tinha uns 18 anos, a minha vida estava uma confusão total, eu estava emocionalmente mal.

Então, eu fui a um centro procurar ajuda. Lá me falaram: – Olha, toda terça e quinta você tem de acender uma vela para o seu santo, porque senão vai dar tudo errado na sua vida.

Eu comecei a acender vela para o santo na casa dos meu pais, onde eu morava na época, toda terça e quinta, sempre às 18h30, e depois ia para faculdade. Um dia, na volta da faculdade, eu vi o meu cachorro Tom – que Deus o tenha onde quer que ele esteja, no céu dos cachorros – muito bravo olhando para aquele canto em que eu acendia as velas.

Naquele tempo eu não estudava nada de espiritualidade ainda, sabia muito pouco e aquilo me marcou. Cheguei para minha mãe e falei: – Mãe, vou parar de acender vela aqui em casa, aconteceu isso, isso e aquilo. Ela me disse: – Nossa, isso já aconteceu comigo uma vez também. Não com esse cachorro, com uma outra situação. Então, eu disse: – Ah, eu vou parar também, mãe.

Como aquele fato foi muito marcante, eu comecei a fazer a mesma prática que tinham me ensinado, só que sem acender a vela. O cachorro ficou calmo e aquele fenômeno nunca mais aconteceu.

Em outra época, alguns anos depois, eu comecei a atender em Canela, no Rio Grande do Sul. No consultório, eu observei que as pessoas estavam tendo muitas confusões dentro de casa. Depois de estudar e pesquisar, verifiquei que uma das coisas que essas pessoas tinham em comum era o fato de elas acenderem velas dentro de casa.

Outro hábito prejudicial era o de expor fotos de outras pessoas nas residências, uma prática que também atrapalha muito a energia e da qual eu falo mais adiante neste livro.

Nesse período, eu já estudava Radiestesia, que é uma ciência incrível que usa o pêndulo para detectar energias, inclusive a distância. Em uma das minhas consultas, eu falei para a minha consultante: – Olha, eu estou vendo aqui pela Radiestesia que há um ponto na sua casa em que a energia é muito pesada.

Ela me respondeu: **– Nossa, esse local é o meu altar, onde eu acendo velas todos os dias e faço a minha oração.**

Veja bem, eu não sabia que ela acendia vela e nem sabia o que era. Eu me lembro que falei: **– Caramba, você acende vela dentro da sua casa?**

Se você já me segue, sabe que 99% das pessoas começam a oração se lamentando, reclamando ou chorando. A minha consultante fazia isso também, além de acender velas para o anjo da guarda e para o pai dela que já tinha morrido.

Assim, ela acabava atraindo seres que gostavam dessa intenção, mas não os seres de luz, pois esses não precisam do calor da chama.

Eu recomendo totalmente que ninguém acenda vela dentro do seu lar.

Contudo, eu quero lhe dizer que você pode acender velas em templos, centros, igrejas e capelas, locais em que há uma egrégora mais forte, ou seja, uma força espiritual criada a partir da soma de energias coletivas.

Em uma casa de Umbanda ou uma Igreja Católica, por exemplo, acendem-se muitas velas. Se almas desencarnadas, perdidas ou não tão perdidas, aparecerem por lá, os campos energéticos dessas casas espirituais estão prontos para atuar nesses casos.

Esses lugares têm uma egrégora preparada para essas situações. Porém, o seu campo energético não possui condições adequadas para isso.

Se você adora vela, a minha sugestão é que você a acenda com a sua mente, que é outro tipo de frequência. Ponha-a em um local da sua preferência e a use apagada. Simplesmente imagine que você está oferecendo aquela vela para o ser de luz do qual você gosta.

Quando você começa a criar essa ancoragem de velas acesas dentro de casa e faz um deslize sequer no final de semana, gera uma falha na sua egrégora. As pessoas comuns falham. Aí, pronto, você abre as portas para as vibrações negativas.

Eu tenho várias outras situações, histórias de pessoas que acendiam vela dentro de casa e pararam. Elas tinham esse costume, mas começaram a usá-las mentalmente acesas. Depois, perceberam que não precisavam mais disso, que a conexão com o ser de luz é algo que acontece sem um intermediário.

Então, é isso, eu espero ter auxiliado a esclarecer esse assunto. Se você não concorda, continua fazendo do seu jeito, está tudo bem.

Agora eu tenho de falar para você que o que eu estou passando aqui... Eu tenho cara de bobo, de quem não estuda... As pessoas falam coisas para mim, querem me ensinar, como se eu não tivesse estudado, nem me dedicado. Mas eu só quero dizer a você que os mais de 15 livros que eu já escrevi são produtos de muita dedicação, estudo, pesquisa, meditação, experiências espirituais que me fizeram chegar até onde eu cheguei.

Você pode acreditar, funciona mesmo! Agora, se você quiser correr o seu próprio risco vai lá também. Muita coisa eu aprendi sendo teimoso, discordando de outras pessoas. Eu acho que isso é válido. Porém, se você for discordar de mim, preste atenção até onde vai, não entre na birra tola, está bem?

Essa questão é muito séria, assim como a questão das fotos que eu vou falar a seguir. Realmente é muito sério, isso pode desequilibrar um lar, afetar as crianças e os animais de estimação. Talvez não afete você, mas prejudica muito os mais fracos da casa.

Eu acredito que há coisas que são testadas e aprovadas e podemos segui-las sem precisar passar por todo o processo de estudo e aprendizagem que outras pessoas já trilharam. Mas eu também concordo que cada pessoa precisa fazer o seu caminho.

7. O mistério das fotos de pessoas mortas

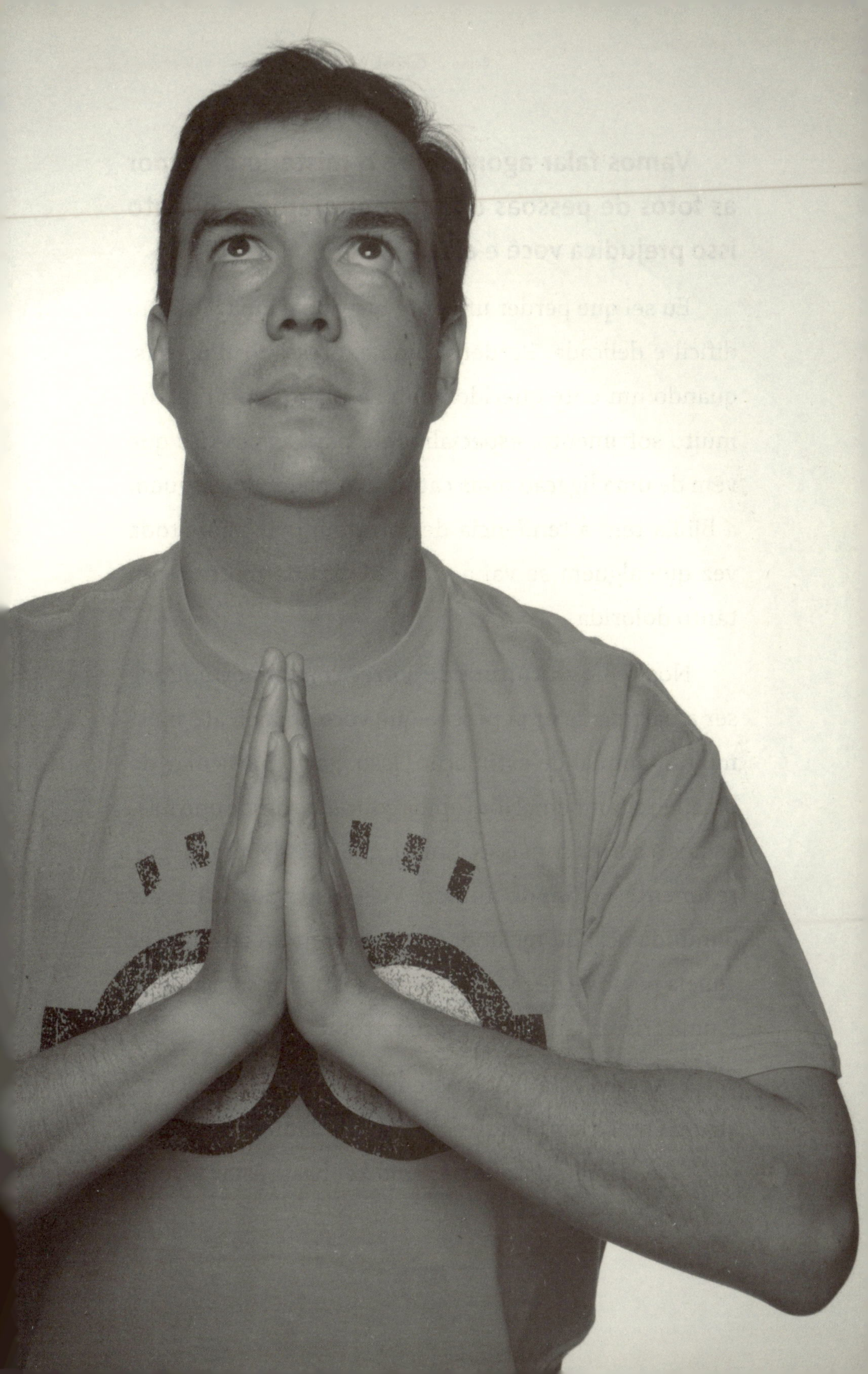

Vamos falar agora sobre o mistério de expor as fotos de pessoas que já morreram e o quanto isso prejudica você e elas.

Eu sei que perder um ente querido é uma situação difícil e delicada. Perder é uma expressão ruim, mas, quando um ente querido volta ao plano espiritual, há muito sofrimento, especialmente para as pessoas que vêm de uma ligação mais católica. Aqueles que seguem a Bíblia têm a tendência de sofrerem mais, pois toda vez que alguém se vai a visão bíblica da morte é um tanto dolorida.

Nós temos a cultura de sofrer com a morte. Pode ser a partida de uma pessoa que você ama ou até mesmo um animal de estimação. Isso é algo particular do brasileiro também. Nós fomos educados desde que nascemos a sofrer com isso. Então, quando alguém morre, realmente é o fim do mundo. Você sente dor, acha que o mundo acabou mesmo, que você nunca mais vai ver aquela pessoa e que vai ter de se acostumar com aquilo. É uma tristeza, uma desgraceira total.

Você que está lendo este livro com certeza já teve alguma perda significativa na família. E infelizmente, se não teve, vai ter, porque para morrer basta estar vivo.

Já sacou? Para morrer basta estar vivo.

O que é preciso para uma pessoa morrer? Estar viva! Então, todo mundo que está vivendo aqui tem o ingrediente número um para poder morrer.

E aí, o jeito que nós tocamos a nossa vida é com um apego à educação espiritual que tivemos. Até mesmo os que dizem que não acreditam em nada, são céticos, agnósticos ou de outras religiões, sabem que a maioria de nós é treinado para sofrer.

Tanto que é comum as pessoas lhe julgarem se você for a um velório e não chorar: – Ó, aquele não está chorando, quer dizer que não gostava do morto.

Nós vivemos em uma sociedade maluca que não é educada para a morte.

Por isso, eu acredito muito no nosso canal no YouTube, especialmente na websérie Espiritualidade na Prática, em que disponibilizamos conteúdos para a nossa evolução espiritual.

Uma vez que nós temos acesso a essa educação espiritual, assim como aprendemos sobre o que funciona para o corpo e para a mente, vamos mudar a nossa realidade.

Baseado nisso, eu atendi mais de 15 anos em consultório. Nesses atendimentos, eu me dediquei muito ao estudo do entendimento do mundo extrafísico, não apenas de uma ou de outra religião, mas das principais religiões do mundo, até por uma questão de cultura.

E, no atendimento em consultório, uma das coisas que eu mais aprendi foi sobre a influência de fotos de pessoas que já se foram expostas no ambiente, seja de uma casa, seja onde for.

E isso é muito, muito sério. Então, o que quero lhe recomendar a respeito disso é que não tenha fotos de pessoas que já se foram na sua casa.

– Ah, mas é o tio, é o pai, é meu irmão.

Sinto muito, mas, se você quer ajudar essas pessoas, se você quer melhorar a vida delas, simplesmente não exponha essas fotos.

Em primeiro lugar, vamos compreender o conceito de morte a partir da visão espiritualista mais simples ou das religiões mais céticas, mais malucas ou até mesmo das doutrinas mais rígidas e mais estranhas que existem. Todas entendem que quando o corpo morre a alma vai para algum lugar. O que as pessoas costumam brigar é para onde essa alma vai, se para o inferno ou não, se volta ou não volta, se há reencarnação ou não, mas o fato é que todo mundo concorda que quando o corpo morre a alma vai para algum lugar.

E, se a alma vai para algum local, a pessoa existe em um outro plano. Por mais que se brigue aqui ou se questione quem está certo, o espírito não morre, certo? E se o espírito não morre ele continua com a sua inteligência de acordo com a sua sintonia.

Quando você está na sua casa e olha uma foto, você está projetando uma energia, está se comunicando com essa imagem.

Eu, por exemplo, tenho aqui a foto do meu gato vivo, Samadhi Yoda. Ele se chama Samadhi pois o bichinho está sempre em Samadhi – um estado de expansão da consciência. Já o Yoda é porque quando era pequenininho parecia o mestre Yoda – ele tinha um cabeção e as orelhinha iguais às do mestre Yoda. O Samadhi Yoda, fofura do pai, uma doçura de gato, é um malandro.

E aí, quando eu estou em contato com a foto dele, estou mandando a minha vibração na direção dele. Só que o Samadhi está vivo, encarnado, é gordinho, safado, adora dormir. Se eu for lá atrás dele, ele só vai querer o meu carinho.

Só que você tem de entender o seguinte, quando a pessoa já se foi, o sentimento quase sempre é de dor, sofrimento ou tristeza, principalmente nos primeiros meses.

Imagine que a foto do desencarnado está lá na parede da sua casa, daí vem um encarnado e diz:

– Ah, coitado, ele morreu. – Ai, que saudade dele. – Ai, não chora.

De 100 pessoas que olham a foto do desencarnado, 99 olham com dor.

Aí você vai me dizer: – Não, Bruno, na minha casa tem foto de desencarnado e 100% das pessoas olham para ela com felicidade, elas não sofrem, não têm saudade e nem dor, não choram no dia dos pais, não ficam tristes no Natal.

Não vamos nos enganar, não é?

Você tem de compreender que aquele corpo é um canal de comunicação mental, mas ele não existe mais. Aquele ser teve uma experiência na Terra e já se foi para viver outra evolução.

Então, o fato de ancorar energia de quem já se foi, de se conectar com esse ente através de uma foto, estimulando isso o tempo inteiro, prejudica a jornada evolutiva dele e a sua também.

Vamos adiante. Quando a pessoa acabou de desencarnar e a família fica chamando, a foto acaba sendo um canal radiestésico, ou seja, um meio de comunicação, de sintonia, de conexão. Isso prejudica a evolução do ser que se foi e também de quem ficou neste plano. O que atrapalha tudo.

E você me pergunta: – Nós podemos guardar as fotos das pessoas que já morreram?

Sim, podemos, mas em um álbum escondido dentro do armário. Uma vez a cada três anos, quando o seu coração estiver repleto de alegria, se quiser dar uma olhada nessa foto, eu não recomendo, mas se você olhar, menos mal.

Agora deixar expostas as fotos de pessoas mortas não presta. Isso não funciona e não é bom, porque é um portal de comunicação telepática para esse ser onde quer que ele esteja. Se ele já está bem, prejudica um pouco o canal telepático dele. Porém, se ele está mal, Deus nos livre, estraga a sua vida e a dos outros.

– Mas, Bruno, de onde você tirou isso?

Dos muitos anos de atendimentos em consultório, dos estudos com a Radiestesia e de muita experiência prática. Eu detectei pessoas chorando, sofrendo, mal, em depressão. Não sei se você sabe, mas no começo da minha carreira eu atendi muitas pessoas com depressão e a maioria delas tinha fotos de parentes mortos dentro de casa.

Esse é o mistério que eu espero ter revelado para você. De forma honesta e sincera, observe o canto da sua casa onde estão as fotos de quem já se foi, sei lá a quanto tempo. Há ainda aquelas fotografias de pessoas encarnadas, dos seus netos, do filho, do sobrinho, mas tudo bem. Deixa para lá, em outro dia falamos sobre isso. Em outro momento eu posso lhe explicar mais sobre esse assunto.

O fato é que você está atrapalhando a evolução do outro. Por favor, tira esses quadros desse canto, esconde, guarda no armário. Você vai ver como a energia da sua casa vai melhorar!

E, quando você quiser pensar no seu parente, faz uma Oração Conectada de Quatro Etapas, que eu ensino em todos os conteúdos. Mande uma vibração boa sem se conectar com foto, você não precisa disso. A foto já revela um apego, demonstra que, se você precisa da fotografia do seu parente desencarnado, você está assinando atestado de "sou apegado".

Qualquer que seja a sua resposta, mesmo que você me diga que precisa ter a foto, eu não estou falando que isso é o fim do mundo, mas é humano. Eu também sou apegado, certo?

Eu tenho vários parentes desencarnados, também tenho vontade de vê-los em fotos, mas não olho mais. Não olho mesmo, eles estão na minha mente.

– Bruno, eu perdi um filho, é uma situação complicada.

Poxa, eu entendo, sou solidário. Contudo, essa necessidade de ter a foto do seu filho ou de outro parente que se foi é apego.

E esse apego em si já é um sentimento ruim, entendeu?

Então, é disso que nós estamos falando, espero que você entenda. Há dois níveis de apego. Um em que você tem de ter a foto aparecendo, e outro no qual você pode ter a foto no álbum para olhar de vez em quando.

O hábito de expor as fotos acontece até você se acostumar com esse nível de desapego.

Eu acredito em coisas testadas e aprovadas que melhoram nossa alma e iluminam nosso caminho. Como eu falei para você a questão das fotos pode melhorar muito a sua vida, isso foi testado, replicado e comprovado. Espero que essa dica ajude muito você, que melhore o seu modo de viver.

Espero também que você faça uma grande diferença na sua existência e que esse conteúdo também faça diferença na vida de outras pessoas.

Compartilhe esse conhecimento, caso você tenha lembrado de alguém que gosta de guardar fotos de pessoas que já se foram. Tenho certeza que você pode ajudar muitas pessoas que estão passando por isso nesse exato momento.

8. Horas iguais aos minutos é um sinal

Você já olhou no relógio e eram 11:11?

Aí você olhou no relógio no dia seguinte, e eram 11:11? No outro dia, você olhou no relógio e eram exatamente 11:11 de novo? Ou você olhou no relógio e eram exatamente 12:12? Ou estava marcando 13:13?

Você já entendeu, não é? Vamos falar do mistério das horas e dos minutos iguais.

O assunto que vou falar aqui não é nada diferente do poder maior de Deus, do poder maior da natureza. Por que? Porque desde que o mundo é mundo nós usamos os números de alguma maneira.

Eu não sou numerólogo, mas tenho alguns amigos numerólogos, como a Faby Lhuz, uma incrível numeróloga da nossa equipe, que é tutora do portal Luz da Serra, e o Vyctor Ben-Hur, que foi meu numerólogo por muito tempo, além de outros profissionais dessa área.

Uma das coisas que eu aprendi com esses numerólogos incríveis é que os números não são vistos por aí. Você não vê um número andando, desfilando por aí ou em uma fila de supermercado. Mas os números existem e são um campo de energia.

Assim como as cores e as plantas, eles codificam e quantificam um padrão energético.

Cada número guarda consigo uma vibração que se conecta com outras vibrações, assim como também ocorre na astrologia. Mas dentro do conceito da numerologia, temos o estudo das vibrações que os números emitem.

Trata-se de uma codificação, por meio de letras e cores, para você saber sobre o número em que está.

Eu não fico sem saber qual é a numerologia do meu ano pessoal, quais os desafios e as coisas boas daquele período de tempo.

Além de tudo isso, há alguns sinais que a vida nos passa. Eles realmente nos mostram que tudo é guiado por vibrações que obedecem a sequências. Inclusive, há um seriado, que muitos dos meus seguidores me indicaram, chamado *Touch*. Ele fala da sequência de Fibonacci, dos padrões de números e como eles fazem com que essas realidades aconteçam.

Existe ainda a obra "11:11 – Abertura dos portais", da escritora que se autointitula Solara. Eu li este livro antes de 11 de novembro de 2011 e 12 de dezembro de

2012, sequências que, segundo essa autora, despertam grandes forças e poderes do ponto de vista de vibração.

Sabe quando você coloca o relógio para despertar e toca aquele barulhinho que às vezes incomoda – principalmente às 6 horas ou 5 horas da manhã? O fato é que esses alinhamentos numéricos disparam processos vibratórios.

Uma vez ao ano nós fazemos o Workshop O Chamado da Luz, em que eu falo sobre as ativações espirituais, que é um assunto que eu já abordei no livro "Ativações Espirituais: obsessão e evolução pelos implantes extrafísicos". Nele, eu explico que nós somos um campo de consciência, de energia, de vibrações.

É quase como uma caixa de luz. Sabe aquela caixa de disjuntor que toda casa tem? Nós somos mais ou menos como aquilo, um aglomerado de energia, de vibrações. Em outras palavras, somos uma matriz energética, que funciona vibrando e circulando energia. Cada impacto de combinações numéricas imprime sobre o nosso campo de energia um certo estímulo.

Você já fez Do-in, massagem ou acupuntura? Então, na acupuntura, por exemplo, as agulhas são colocadas em pontos específicos para estimular os *nadis*, que são meridianos ou rios de *chi*, como diriam os taoistas. Esses rios de energia que circulam pelo nosso corpo dão vida a esse campo de consciência, a essa matriz espiritual.

Saiba que há um significado cada vez que você olha para o relógio "sem querer" e aparece 10:10, 11:11, 12:12, 13:13 e por aí. Esse assunto está totalmente mapeado em um artigo escrito pela minha sócia e amiga, Patrícia Cândido, e publicado no Portal Luz da Serra (*www.luzdaserra.com.br/horas-iguais*).

Nesse material, a Patrícia fala de cada combinação de números iguais. Eu vou colocar essas informações aqui para você ver o seu significado e consultar sempre que precisar. Porque agora você está vendo o 11:11, mas vai chegar o momento em que você vai ver 23:23 ou 09:09.

Pela lei da atração, isso significa que você está em um padrão de energia que está atraindo essa sincronicidade. Não é necessariamente uma mensagem que alguém está colocando para você, e sim o seu padrão pessoal que está atraindo essa vibração.

Você não precisa levar nada ao pé da letra, dizendo: **— Nossa, agora eu vi o 11:11 e vou parar tudo o**

que eu estou fazendo! Mas você pode perceber que há um sinal, ele está aparecendo e quer lhe dizer alguma coisa. Esses fenômenos que acontecem ao nosso redor não podem ser ignorados. Combinado? Veja agora cada um dos números e seus significados:

01:01 – Inicie um novo projeto, abra espaço para o novo entrar em sua vida. Faça algo novo! Quem sabe estudar uma nova língua, mudar o visual, viajar?

02:02 – Faça novas amizades, invista em novos relacionamentos, busque ser mais sociável. Procure novos grupos e pessoas que tenham interesses afins aos seus. Por exemplo, se você gosta de dançar, procure um grupo de pessoas que também gostem de dançar.

03:00 – A Patrícia incluiu esse horário, porque muitas pessoas costumam acordar às 3 horas da manhã em ponto. Você sabe por que isso acontece? De acordo com os mentores do plano espiritual, esse é o horário em que a Terra fica com a energia mais densa e contaminada pelo lixo psíquico da humanidade.

Então, acordamos nessa hora para contribuir com o psiquismo da Terra.

Você pode ir lá e fazer a Conexão de Quatro Etapas, que você encontra no bônus on-line deste livro (*luzdaserra.com.br/misterios*) ou no nosso canal no YouTube, onde há um vídeo explicando os passos para fazer.

Se você ora antes de dormir, é provável que você não acorde, pois já fez a sua parte. A oração, sem reclamações e tristeza, contribui para suavizar o psiquismo do mundo.

03:03 – Encontre o equilíbrio da sua energia, o seu centro. Pare de oscilar entre as polaridades positiva e negativa. Quando estamos centrados, tornamo-nos pessoas melhores.

04:04 – Atenção para a preocupação excessiva com a vida material. Organize sua rotina com uma lista de tarefas e pendências, e alivie sua mente da carga de preocupações. Não é a preocupação que resolve problemas, mas a organização e a ação!

05:05 – Hora de sair do casulo e se mostrar para o mundo. Se a timidez está na sua vida, é o momento de trabalhá-la. Procure um bom terapeuta, pratique a expressão por meio de aulas de canto ou teatro, por exemplo. Quebre a casca!

06:06 – A família é a união de espíritos com laços cármicos e de afinidade. A felicidade da sua família não depende de você, e a sua felicidade tampouco depende deles. Dê limites aos seus familiares e se preserve mais na sua intimidade. Onde há muito carma envolvido, não se deve compartilhar tudo. Ame muito os seus familiares, mas busque um equilíbrio e entenda que amar não é interferir no livre-arbítrio de ninguém. Cuide da sua energia pessoal.

07:07 – Dedique-se mais ao seu lado intelectual, aos estudos. Se você gosta de um assunto, estude-o e se aprofunde, certamente será prazeroso. Não confunda conhecimento com sabedoria, mas saiba que ele aniquila a ignorância. Pergunte-se sobre o que você precisa saber mais: espiritualidade, finanças, relacionamentos interpessoais? Tire um tempo para pensar nisso!

08:08 – Dê mais importância para a organização financeira. Como anda a sua prosperidade? Como é seu fluxo de dinheiro? Você dá e recebe na mesma proporção? É feliz e equilibrado nessa questão? Se não estiver bem nessa área, procure ajuda, pois as finanças podem se desequilibrar facilmente.

09:09 – Finalize e coloque em prática os projetos que você começou e não terminou. Pense sobre eles, descarte os que você definitivamente não quer mais e ponha em prática aqueles que você já começou.

10:10 – Limpe o passado e se concentre no momento presente. Limpe a estrada do seu passado e não olhe mais para trás. Comece a fazer isso pela organização da sua casa, dos seus armários, gavetas e de tudo o que estiver bagunçado na sua vida. Faça uma triagem nas suas roupas, calçados, objetos, e liberte-se dos cacarecos. Doe ou venda em sites de objetos usados, fique somente com aquilo que é utilizado. Quando você junta cacarecos, o fluxo da energia fica travado e você se torna um ser cada vez mais triste e preso ao seu passado. Não é possível que o novo chegue na sua vida, se tudo estiver entulhado em tranqueiras físicas e emocionais. Quando nós limpamos as coisas físicas, as emocionais também se limpam.

11:11 – Um dos mais buscados, esse é um chamado urgente do plano espiritual para você buscar um caminho que eleve seu espírito. Os seus mentores estão dizendo que é hora de buscar desenvolvimento e consciência espiritual antes que alguma doença se instale em seu corpo. Esse é o último aviso para evoluir pelo amor. O próximo virá mais por dores e doenças. É um aviso que diz para você entrar em sintonia, fazer uma oração e elevar a sua vibração. Porque essa mesma explicação serve para quando você está fora da sua sintonia, está meio cansado ou estressado. É um aviso para você se alinhar, fazer uma prece, agradecer, exercitar a gratidão.

12:12 – O plano espiritual está dizendo que você precisa encontrar o equilíbrio entre os corpos físico, emocional, mental e espiritual. É tempo de parar, pensar e se conectar com Deus através da natureza, da contemplação, do relaxamento, da meditação. Ou seja, o equilíbrio entre todos os aspectos do ser.

13:13 – Sempre procure novidades para a sua vida: novas músicas, novos sabores, novas cores... Do contrário, a tendência é que você fique triste, melancólico e até depressivo.

14:14 – Esse é um "puxão de orelha" mais forte para você sair do casulo. Socialize-se, divirta-se, participe de algum grupo, faça alguma atividade com mais pessoas.

15:15 – Deixe de se preocupar tanto com o que as outras pessoas pensam a seu respeito. Tome suas decisões com base nas suas vontades e não nos interesses alheios. Baseie suas escolhas nos seus desejos! Liberte-se das opiniões dos outros!

16:16 – Há muitas formas de evoluir e aprender, mas três coisas sempre estão presentes nesse caminho: estudo/leitura, silêncio e resiliência. Coloque-os em prática!

17:17 – Prosperidade está muito além de ter dinheiro somente, trata-se de ter abundância em todos os aspectos: bons relacionamentos, felicidade, saúde e também dinheiro. Sem esses quatro elementos, nenhuma pessoa pode se considerar próspera. Coloque seu foco em um estado de espírito próspero.

18:18 – É hora de colocar um ponto final e se livrar de tudo o que atrapalha e não agrega nada a sua vida, desde pessoas até sapatos apertados! Chega! Dê o seu grito de liberdade e mande embora tudo aquilo que não lhe faz feliz!

19:19 – Pense e reflita sobre a sua missão de vida: o que você veio fazer aqui na Terra? Em qual área e assunto você pode ajudar Deus a fazer um bom trabalho aqui no mundo? Você é um bom amigo, conselheiro? É bom na resolução de problemas? Se Deus lhe pedisse ajuda para melhorar o mundo, o que você poderia oferecer?

20:20 – Por que tanta lentidão? Você não nasceu com os seus pés colados no chão. Abandone a preguiça e recupere o tempo perdido com lamentações! É hora de agir. Levante-se e caminhe na direção dos seus sonhos e objetivos! Faça alguma coisa agora – anote, crie e coloque em prática algum projeto. O sucesso é construído à noite! Ou seja, com trabalho e planejamento nas horas extras. Mãos à obra!

21:21 – Você pode ajudar outras pessoas a encontrarem um caminho de luz. Há tanta gente que precisa de ajuda neste mundo! Essa ajuda pode ser um conselho, uma doação de dinheiro, de tempo, de carinho, de alguma forma você pode contribuir. Ajude alguém todos os dias. Seja gentil, caridoso e mais paciente! Leve mais amor para o mundo, pois ele está dentro de você!

22:22 – Dê mais atenção para a sua saúde. Quando você negligencia o corpo físico, que Deus lhe emprestou com tanto amor para que você pudesse evoluir aqui na Terra, é gerado um grande carma. Cuide-se! Procure alimentar melhor o seu corpo físico, praticar uma atividade física, tomar mais água, respirar melhor e por aí vai. Livre-se da raiva, do medo, da mágoa e da tristeza, porque eles geram doenças. É difícil ter sucesso na vida com um corpo debilitado por causa de ações irresponsáveis!

23:23 – Você é muito mais do que imagina. Exija mais dos seus potenciais. Você tem capacidade de ir muito mais além.

00:00 – Você é a semente divina de um Deus ilimitado, que tem poder e misericórdia. A árvore mora na semente. Se a semente não brotar, a árvore não existirá. E você é uma semente com potencial para ser uma árvore com todos os dons de Deus. Apenas seja!

Aqui você viu uma série de combinações de números. Espero que este conteúdo lhe ajude, você pode consultar esse texto muitas vezes quando as horas e os minutos iguais aparecerem.

9. Benzimento cura?

Você já foi benzido? Já experimentou? Já benzeu alguém? Há um benzedor na sua família? Quer saber mais sobre esse assunto? Então, vem comigo que eu vou lhe explicar esse Mistério da Alma.

Quando eu era um moleque, eu vivia doente. Já corintiano, eu era bem magrinho, um palito e a cabeça "deste tamanho". Bom, cabeçudo eu continuo sendo, só a parte de baixo cresceu um pouco, ficou mais proporcional. Eu sempre ficava ruim, ia ao médico e ele não descobria nada. Eu fazia um eletroencefalograma por semana, você sabe o que é isso?

Eletroencefalograma é um exame que põe os eletrodos com umas massinhas na cabeça da criatura, para ver se há algum distúrbio mental. Nada contra quem tem distúrbio mental, mas achavam que eu tinha grandes problemas. A minha mãe e o meu pai, queridos, faziam de tudo para ver se davam um jeito nessa criança.

Eu sempre fui bonzinho, mas, ao mesmo tempo, eu era bem complicado, porque eu dava muito trabalho para os meus pais, eu vivia sempre com alguma doença. Eu pegava tudo o que era energia ruim para mim. Mas havia algo que resolvia os meus problemas. Sabe que "coisa" era essa?

Benzer!

E o benzimento nada mais é do que tornar santo, tornar bento. Benzer é o ato de tornar uma pessoa com energia santa, isto é, significa trazer uma bênção espiritual para ela.

Existiam várias pessoas iluminadas na minha vida, que pegavam uns galhinhos de erva lá e *tuc-tuc-tuc*, jogavam as plantinhas e faziam uns benzimentos. Meu Deus, só de lembrar me emociono. Por quê?

Porque aquilo puxava tudo de ruim que eu estava sentindo. Como dizem, tirava com a mão aquele mal-estar, aquela sensação estranha, aquele pensamento inapropriado, que eu não sabia de onde vinham. O benzimento mudava toda a minha realidade.

Eu fui crescendo e melhorando, parei de ficar tão enroscado, tão doente. A vida profissional iniciou, eu fiz faculdade e começou a dar tudo certo. Porém, lá pelos meus 22 anos, o vazio no peito e a tristeza voltaram, a minha imunidade baixou, eu ficava doente por qualquer coisa. Aí eu me lembrei da única coisa que me fazia bem de verdade: receber os benzimentos com as ervas.

Naquele momento eu já tinha um pouco de instrução, pegada e vontade de entender o mecanismo intrigante das plantas e do benzimento. Eu fui atrás desse conhecimento, eu queria saber tudo sobre esse assunto. Eu não sei se você sabe, mas, depois de muita pesquisa e de muitas práticas, em 2005, eu lancei o meu livro Fitoenergética, onde reuni tudo o que eu estudei acerca da energia das plantas e seus poderes ocultos.

Eu também pesquisei sobre as energias, a bioenergia, a espiritualidade. Depois eu fui entender as terapias vibracionais. Eu me dediquei muito aos estudos e percebi que esse é um elo quebrado da medicina tradicional. O trabalho da medicina é muito importante, mas ela atua apenas no campo denso, no corpo físico. Contudo, a espiritualidade, as terapias naturais e a Física Quântica trabalham a saúde no campo sutil, que está ligado à emoção, ao pensamento e ao sentimento.

A emoção, o pensamento e o sentimento criam um campo de energia ao nosso redor. E isso nenhum remédio ou cirurgia tratam. Para a verdadeira cura, você precisa cuidar do seu campo energético. O benzimento com as ervas é um dos seus aliados nesse processo, porque se você não cuida do seu campo vibracional, voltará a ter a mesma doença, afinal, você não tratou a causa do problema.

Antigamente, nós tínhamos o entendimento de que as pessoas não poderiam ter acesso ao benzedor. E essa missão passava de família para família e só uma pessoa escolhida tinha a oportunidade de ser benzedor. Eu sempre achei aquilo injusto. Ah, só um daquela geração pode benzer. Por que outras pessoas não podem?

O mundo evoluiu, muitas coisas mudaram. Hoje existem milhares de benzedores por aí. Eu sou um benzedor, minha mãe é uma benzedora, e eu tenho milhares de alunos que são benzedores, porque eles aprenderam a fazer um benzimento, a tornar uma situação santa.

Eu afirmo que até mesmo os corintianos podem benzer outras pessoas! Então, se eles podem ser benzedores, você também pode.

Como? Com uma técnica que está no bônus especial deste livro: *luzdaserra.com.br/misterios*. Nela, você vai aprender a fazer um benzimento com louro, que é uma folha que todo mundo tem em casa. Lá eu explico o caminho, passo a passo, do que você precisa fazer para tornar abençoada uma pessoa.

Acredite, podemos benzer até mesmo os nossos animais de estimação. Eles absorvem as energias do ambiente e das nossas preocupações, mas muitas vezes não conseguem transmutá-las e ficam doentinhos. Os nossos bichinhos ficam mal e depois nós sofremos juntos.

Eu volto a lembrar que não podemos abandonar esse elo perdido, mas soldá-lo novamente. Nós podemos olhar de novo para a natureza, rever as plantas, recomeçar essa ideia de benzer e entender que a dor e a doença não nascem no corpo. Eles são revelados no físico, mas surgem na emoção, no pensamento e no sentimento, que criam um campo de energia ao nosso redor.

Você tem condições hoje, no século XXI, de tratar o seu corpo físico. Mas ele não é a causa, e sim a consequência. A origem das doenças está no que você pensa e sente, na sua espiritualidade, no seu campo de energia, nas suas percepções. E o benzimento atua nesse campo de energia, assim como a Fitoenergética e tantas outras técnicas.

E, se você mudar o seu campo energético, como já vem fazendo desde que começou a ler este livro e acompanhou a série Espiritualidade na Prática, a sua realidade vai mudar. Assim, você transforma as suas crenças, as suas percepções, o seu estado de felicidade, e isso faz uma revolução na sua vida.

O que mudou a minha realidade foi, sim, entrar em contato com esses benzedores, mais me tornar autônomo também, para eu mesmo saber fazer os meus processos e não ficar dependente de ninguém.

Você vai ficar dependente se falar a toda hora:

— Estou mal, me benze aí.

A minha amiga Patrícia e eu trabalhamos com essa técnica da Fitoenergética e somos obcecados em ajudar você a se tornar independente de nós. É engraçado isso, não é?

Nós queremos ajudar você a ser autônomo, e é por isso que preparamos conteúdos como este.

A técnica sobre o benzimento com louro, por exemplo, você vai fazer e aplicar sozinho.

É por isso que eu escrevi este livro e gravei o Espiritualidade na Prática: para você voar sozinho! Você faz por você. Este é o século XXI. Você pode usar as técnicas do passado como um benzimento, que é tão antigo, mas trazê-lo em uma nova roupagem, aplicando tudo aquilo que já conhece.

No mínimo, esse texto e essa técnica vão lhe trazer um pouco mais de conhecimento. Se você quiser saber mais sobre a Fitoenergética, acesse o bônus on-line especial deste livro: *luzdaserra.com.br/misterios*.

Espero que você se benza, que faça em outras pessoas e crie mais beleza em sua vida. Não importa a sua religião, a sua crença ou o seu time. Faça a diferença!

10. Obsessão espiritual: 15 Sintomas

Alguma vez você já sentiu alguma sensação estranha? Um conjunto de coisas ruins já demonstraram que você estava com obsessor? Alguém já lhe disse que você estava acompanhado por um espírito ou encosto?

Então, agora eu vou desvendar esse Mistério da Alma. Você vai saber se está com um espírito obsessor ou encosto. **Mas você sabe o que é um encosto?**

Em primeiro lugar, você precisa compreender que existem dois planos: o físico e o espiritual. O plano físico é esse que você vê. Já o plano espiritual você não enxerga ou toca, mas consegue sentir. Você pode ter a visão dele se desenvolver as suas funções parapsíquicas ao longo da sua vida.

Algumas pessoas possuem essas propriedades naturalmente, outros as desenvolvem durante a vida. Muitos as chamam de mediunidade, sexto sentido, paranormalidade ou sensações extracorpóreas. Pode ser qualquer nome que você queira dar, essa é a verdade, mas são percepções extrassensoriais do mundo extrafísico que todo mundo tem a capacidade de desenvolver.

Uma das coisas que falam por aí, principalmente na visão popular, é sobre a presença do obsessor.

Somos todos espíritos, e os obsessores são espíritos que estão em outro plano, o espiritual. Eles não possuem um corpo físico, mas exercem influência sobre nós que temos corpo físico e vivemos na Terra.

Há espíritos obsessores que, de alguma maneira, precisam do fluido corpóreo e das vibrações aqui da Terra. Eles estão presos a esse campo vibratório. Então, nem sempre um obsessor é uma pessoa ruim ou alguém que quer o seu mal. A maioria das vezes o obsessor é alguém da sua família inclusive. Mas, se ele está próximo, vocês não vão conseguir evoluir. Esse espírito precisa seguir a jornada evolutiva dele em outro plano. Da mesma maneira, você deve trilhar o seu caminho. E esse processo obsessivo atrapalha a sua vida e a do desencarnado também.

Quando estamos passando por isso, na maioria das vezes, não percebemos, pois essa influência é silenciosa e invisível. Porém, se você somar alguns elementos dessa forma de influência, vai começar a juntar forças.

Aqui eu quero falar dos sinais que indicam se você está recebendo influências espirituais negativas. Contudo, se você está com sofrendo interferências de um espírito obsessor, eu vou lembrá-lo de que tudo isso indica que o seu campo de energia está aberto. Em outras palavras, a sua aura está aberta, o seu pensamento, a sua emoção e o seu sentimento estão atraindo essa obsessão, essa influência negativa, que pode ser de coisas bem ruins ou coisas não tão ruins. Vou lhe mostrar alguns sinais, mas quero lembrar que há outros aspectos que sinalizam essa influência negativa também:

1. Dor de cabeça

Sim, quando você começa a ter aquela dor de cabeça de têmpora, pode ser um indicador. Mas, veja bem, muitíssimas coisas podem gerar dor de cabeça, como uma alimentação desequilibrada, dormir mal ou ficar bravo. O que vai lhe ajudar a entender se há coisa errada ou não é o acúmulo de outros sintomas.

2. Dor de estômago

Se você tem dores de cabeça e de estômago, além de mais algum dos outros sintomas que eu vou falar aqui, você já começa a perceber que algo está errado. Talvez você esteja mesmo sofrendo influências negativas de espíritos obsessores. Observe os demais indícios.

3. Dor nas costas

Opa! Dores de cabeça, nas têmporas, no estômago e um peso nas costas são sinais de que algo estranho está ocorrendo. Ainda assim, talvez seja um aviso do seu corpo. Você pode estar muito tenso, chateado, comeu alguma coisa que não lhe fez bem ou está com o pensamento confuso. Pode não ser obsessor, mas já começam a aumentar as chances.

4. Processos hemorrágicos

Sim, é muito comum quem está com alguma obsessão sofrer hemorragia, seja na menstruação, na mulher, seja um problema no nariz, no homem. O fato é que o sangramento não para. Pode ser uma ferida que não cura ou até hemorroida. Há uma relação direta entre processos obsessivos e processos hemorrágicos. Contudo, você precisa analisar o seu caso. Por exemplo, você possui algum problema no sangue por conta do seu metabolismo ou em função de ser diabético? A causa da hemorragia pode estar nesses problemas citados. A análise do conjunto de sintomas vai trazer uma noção clara de qual é a sua situação. Talvez o sangramento não seja causado por espíritos obsessores. Mas, se tiver mais elementos combinados, você precisa abrir os olhos e fazer algo muito simples que eu vou indicar a seguir.

5. Catarse sem controle

A catarse sem controle é um processo de liberação, em que você está chorando e não consegue se controlar. Então, você começa a rir demais ou a comer compulsivamente. Se você não consegue se controlar, está com catarses, liberações compulsivas, além dos outros fatores, pode ser um grande indício de obsessão.

6. Irritação desproporcional

Você está irritado, sem paciência, com um pavio curto de um jeito desproporcional e nunca foi assim? De uma hora para outra, você ficou totalmente irado? Opa, esse é um sintoma que você pode estar acompanhado espiritualmente por uma energia ruim.

7. Implicância sem motivo

Sabe aquele pensamento de implicância que surge na sua mente? Quando você começa a implicar com alguém do nada e sem motivo. Atenção, isso pode ser influência obsessiva. Você pode estar entrando nessa sem perceber, achando que esse pensamento é seu, mas não é!

8. Sono perturbado

Dormir é complicado para você? É muito comum você acordar cansado ou despertar várias vezes durante o sono? Você tem muitos pesadelos, grita e acorda todo mundo? Você tem ataques estranhos, parece que alguém vai lhe pegar, sente fobia, como se estivesse faltando ar? Esses são sinais fortes da presença e influência de obsessores. Quando começa a acontecer comigo, eu fico muito mais atento.

9. Pensamentos autodestrutivos

Os pensamentos que começam a fluir na sua cabeça lhe levam para baixo? Eles falam que você não pode, que não é capaz, que é uma porcaria de pessoa, a pior das pessoas, que você não vai conseguir, que para você não serve ou que fulano não gosta de você? Se os seus pensamentos começam a envenenar a sua cabeça dessa maneira destrutiva, cuidado! Os pensamentos autodestrutivos são sintomas muito sérios, pois prejudicam a sua relação com as pessoas, com você mesmo, minam a sua confiança e autoestima, atrapalham o seu trabalho e os seus projetos pessoais, pois você acha que não vai conseguir, que não pode ir adiante.

10. Vontade de brigar

Você virou um verdadeiro encrenqueiro, quer brigar por isso, quer discutir por aquilo? Alguém fala alguma coisa e você já quer revidar? Você começa a brigar até mesmo por coisas banais? O garçom troca a sua bebida e, em vez de você aceitar as desculpas dele, você explode e quer sair na luta? Você não consegue respirar fundo e ver que há coisas que não adianta fazer guerra, que não se resolvem assim? Se você briga com meio mundo como se aquilo fosse adiantar, olha, você provavelmente está com um espírito de um brigão.

11. Arrepios

Esse sinal serve para o lado luz também. Você tem de prestar atenção aos outros sintomas que eu falei antes para ver se é um bom ou mal indício. Quando você começa a sentir arrepios ou calafrios estranhos, somados à dor de cabeça, à dor de estômago, à hemorragia e à implicância sem motivo, já dá para desconfiar que é mesmo obsessão. Não podemos achar que está tudo bem, pois não está...

12. Bocejo constante

É mais um sintoma que funciona tanto para a luz quanto para as sombras. Se você começa a sentir tudo isso que eu já expliquei, além de bocejar a toda hora, o negócio está pegando para o seu lado. Preste muita atenção!

13. Cansaço

Canseira e exaustão psíquica são outros fortes sintomas de obsessão. É quando você não tem força para nada, deita no sofá e não se levanta mais. Já no momento que se levanta, você não tem força para deitar... É tanta preguiça e tanta falta de energia que não tem coragem de ir para a cama. Então, você deita e não tem coragem de levantar de novo. Depois, você vai para o banheiro, liga o chuveiro, mas não consegue entrar. Quando finalmente entra para tomar banho, não consegue sair. Você não tem vontade de cozinhar, mas se cozinha não consegue mais parar de comer, para de comer e não consegue levantar para lavar a louça... É isso mesmo, dá tudo errado! É claro que hoje temos uma alimentação a base de açúcar e farinha branca, que causa uma letargia parecida com isso. Você talvez esteja realmente intoxicado por esses alimentos e não com obsessão. A sua falta de energia simplesmente pode ser em função de uma alimentação inadequada. Contudo, se for combinado a outros fatores semelhantes, o cansaço e a falta de energia podem indicar a influência de um espírito obsessor.

14. Fragilidade emocional

Você pode desconfiar que está com esse sintoma no momento em que não consegue enfrentar qualquer desafio, pois está muito frágil emocionalmente. Com isso, você se sente sem confiança para resolver seus problemas, não consegue lidar com conflitos, não consegue dizer não, não consegue contornar situações chatas que ocorrem na sua vida. Se você nunca foi assim, mas agora está se sentindo desanimado e emocionalmente fraco para lidar com qualquer dificuldade, fique ligado!

15. Mudança na expressão

Quando você está sob influências negativas, a sua pele e os seus olhos ficam com uma cor diferente, a sua expressão facial muda muito, a sua energia não fica legal, você se sente totalmente estranho.

Se você se identificou com vários desses 15 sintomas, está manifestando diversos problemas na sua vida por conta dessa influência maléfica de espíritos obsessores, chegou a hora de virar esse jogo e fazer alguma coisa urgentemente para se livrar dessa obsessão.

— Mas, Bruuuuno, o que eu faço, então?

Você precisa elevar a sua vibração!

Mas agora eu vou falar o que eu acho mais grave, porque colocar a culpa no obsessor não funciona, não. O encosto só ficou colado em você porque você deu abertura para ele.

O processo obsessivo vem de influências de espíritos que se alimentam de coisas ruins que você tem, ou seja, que você cria. O cachorro só entra na igreja porque a porta está aberta. O responsável por criar esse tipo de situação é você mesmo.

A melhor maneira de elevar a sua vibração é vigiar os seus pensamentos, sentimentos e emoções, fazer a sua reforma íntima, seguir o seu caminho de luz. Você deve ler livros que elevem a sua alma, colocando em prática esse conhecimento no seu dia a dia, além, é claro, de assistir aos meus vídeos no nosso canal no YouTube. Assista a todos, o obsessor não vai aguentar:

– Pelo amor de Deus, o Bruno de novo, não.

Com certeza, ele não vai aguentar, ele vai falar:
– Nãooo, esse cara corintiano, meu Deus!

Logo, logo, o obsessor vai embora. Essa é uma ótima sacada para você.

E que tal ler e aplicar o que você aprendeu aqui?

Quando você chegar ao final do livro, colocando em prática tudo o que aprendeu, o obsessor vai procurar alguém mais fácil, porque ele não vai aguentar a sua *vibe* elevada. Certo?

Sério mesmo! Você pode mudar essa realidade. Melhore o seu campo de vibração, transforme a sua energia! Você pode! É por isso que eu estou aqui, eu acredito em você. Eu acredito que você pode melhorar a sua vida e a da sua família. Por isso eu faço o que eu faço! Por essa razão eu escrevi este livro!

11. O perigo de dormir com a TV ligada

Você sabia que dormir com a televisão ligada no seu quarto reserva um grande perigo? Pois é, não sei se você faz isso, mas é muito comum as pessoas dormirem com a TV ligada. Porém, esse costume aparentemente inocente é muito perigoso.

– Não, Bruno, eu tenho uma TV só em casa, na minha sala, e eu não durmo com a TV ligada.

Se você tem TV no quarto ou tem o costume de dormir em um ambiente onde está instalado o aparelho de televisão, esse texto é para você. Veja bem, se você for no meu quarto hoje, não há nenhum equipamento eletrônico, e não é à toa.

Eu faço isso para que a qualidade do meu sono não seja prejudicada, pois as ondas desses equipamentos eletrônicos atrapalham e muito. E não é só durante o momento em que dormimos, mas eles influenciam toda a nossa vida. Quando dormimos acontece a nossa regeneração, além de todo o processo espiritual e energético que passamos durante o sono. Certo? Se você segue o meu canal, você já sabe, porque eu falo muito sobre esse assunto.

Durante o sono, o nosso espírito ou campo extrafísico se expande e se dissocia do nosso corpo físico. E esse campo de consciência é profundamente influenciado por ondas, por energias muito sutis. Nesse estado, em que ficamos separados do nosso corpo físico, o poder da influência e da autossugestão ficam muito mais fortes.

O que é autossugestão? Trata-se da influência sobre o nosso comportamento ou condição física por outros processos mentais que não o pensamento consciente. Procure mais sobre o tema no livro A Lei do Triunfo, de Napoleon Hill. Já falei muitas vezes dessa obra, um dos princípios que o autor fala é o da autossugestão: "é o agente de controle pelo qual um indivíduo pode voluntariamente alimentar sua mente subconsciente com pensamentos de natureza criativa ou, por negligência, permitir que pensamentos de natureza destrutiva consigam entrar no rico jardim da mente".

Há sugestões que você recebe sem perceber. Uma delas ocorre quando você dorme com a televisão ligada. Aquilo que está passando na TV o influencia diretamente, ainda mais que você está mais relaxado, sensível e suscetível a receber essas influências. O perigo é que esse hábito faz com que a informação vinda da televisão fique impregnada na sua consciência.

Então, você começa a modular as suas frequências, suas formas de pensamento, como dizia Charles Webster Leadbeater, um dos precursores da sociedade Teosófica criada por Madame Blavatsky. Ele escreveu um livro chamado Formas de Pensamento que é uma bíblia para mim. Nessa obra, ele explica a variação da nossa aura em função da impressão dos nossos pensamento e sentimentos no próprio campo energético. O que você pensa e sente gera a sua própria energia, e aí está o ponto principal.

As mensagens difundidas pela TV criam formas de pensamento ao redor da sua consciência. Ela, por sua vez, está ligada à natureza do que você ouve, sente e vê, inclusive o que é transmitido pela televisão, mesmo que você esteja dormindo. Aquilo que aparentemente gera uma hipnose, um relaxamento e faz com que você durma, por outro lado, impregna na sua energia a vibração característica do que veio do programa de TV. Resumindo, não é bom, não faz bem.

O que você vê, sente e escuta na TV influencia a qualidade do seu sono e pode induzi-lo a coisas ruins enquanto você dorme. Você sabe muito bem que é comum sonhar com algo que vivenciamos durante o dia.

Isso quer dizer que você está impregnado com aquela vibração. A sua mente subconsciente está conectada com aquele assunto ou campo energético.

Da mesma maneira, antes de dormir, o ideal é ler um livro relax, mais calmo, que não acenda a sua criatividade. Senão você não dorme. Já fiz isso muitas vezes.

O livro era bom, mas a minha mente ficava cheia de ideias, e isso não funciona na hora de dormir. Além do mais, se o livro falar de coisas ruins, assassinato, dores, morte ou sofrimento, a sua alma pode ficar impregnada dessas energias negativas.

Quando o seu corpo relaxar, você vai continuar com aquele magnetismo e pode ter um sono terrível, pois vai atrair vibrações do mesmo padrão. Assim, podem surgir os ataques espirituais e os pesadelos. Em outras palavras, você vai atrair um monte de coisa ruim.

Acreditando em espírito ou não, acreditando em viagem astral ou não, o seu pensamento vai atrair o mesmo padrão do que você viu na TV. Ou seja, você vai atrair seres, entidades e energias com o mesmo padrão.

No nosso canal no YouTube, há muitos relatos de pessoas que se sentiram atacadas, enxergaram sombras, notaram presenças não tão boas ou ficaram paralisadas antes de pegarem no sono. Para evitar essas influências, antes de dormir, faça a Conexão de Quatro Etapas. Para saber mais acesse a página especial do livro, lá eu fiz um guia para você.

Fazer uma respiração profunda, uma oração ou uma meditação são simples hábitos que podem lhe ajudar muito a ter um sono tranquilo e reparador. E não precisa ser nada muito longo, cerca de cinco minutos são suficientes. Você não tem desculpa para não começar.

Sente-se à beira da cama, agradeça o seu dia, coloque-se como um canal à Luz Maior, respire profundamente várias vezes, relaxe e se entregue ao sono. Prepare-se para dormir, faça dessa hora um verdadeiro ritual.

Eu preparei um conteúdo explicando sobre os passos para acabar com a insônia e para dormir melhor no bônus deste livro. Espero que você module a sua energia. Fique à vontade para testar, mas isto é fato: dormir com a televisão ligada é um grande risco.

12. Por que é ruim

— Vou visitar o meu tio morto lá no cemitério, eu vou dar um oi para ele.

Será que isso é legal? Você acha que visitar túmulos faz mal?

Você sabe que eu adoro falar sobre os Mistérios da Alma. E quando nós falamos sobre isso, estamos tratando da nossa vida, e não só da morte, para onde vamos quando morremos ou o que acontece com a nossa alma. Nós também pensamos a respeito da nossa missão, da nossa evolução espiritual, o que nós somos e por que sentimos determinado sentimento.

Você visita túmulos e leva flores para os seus parentes desencarnados?

Para, para, para. É um absurdo ir ao cemitério!

Esse é um assunto sobre o qual eu sempre falo, e essa prática de visitar os parentes mortos, principalmente no dia de finados, vem do Cristianismo. Porém, quando ocorre a morte, o espírito vai embora e o corpo fica no cemitério. Quem morre é o corpo, e não o espírito. Até na visão clássica da Física, você vê que nada se cria, nada se perde, tudo se transforma. Então, quando seu corpo morre, a sua consciência se transforma e vai para uma outra dimensão.

Isso é unânime entre as religiões, das mais rígidas às mais abertas. Todas elas concordam que o espírito vai para algum lugar depois da morte. A briga é sobre para onde ele vai, se retorna ou se recicla.

Lógico, eu respeito muito as pessoas que visitam o lugar onde estão enterrados os entes que se foram, mas esse hábito não é nada bom, porque ao entrar nesse local, você pega toda a carga negativa impregnada nele.

Na época em que eu atendia em consultório, os meus consultantes relatavam que, depois de ir ao cemitério, eles chegavam em casa destruídos. Isso ocorre por causa do campo psíquico produzido pelas pessoas que vão a esse lugar para chorar e se lamentar pela perda das pessoas que partiram.

Dentro desse contexto, o que significa visitar um túmulo? O que é o cemitério?

Esse ambiente é lata de lixo. Quem entende do processo sabe que é o local onde o corpo vai se metabolizar. Esse lugar precisa ser protegido espiritualmente por seres e guias não tão iluminados, pois eles trabalham em uma energia mais umbralina. É importante essa proteção energética, porque, embora o espírito não esteja mais ali, um pouco do magnetismo de vida ainda permanece no corpo físico. E esse campo magnético que fica pode ser processado por entidades sombrias, mas eu não vou entrar muito nesse mérito agora.

Mas o fato é que o túmulo contém carga magnética que representa a sintonia com aquela pessoa que já morreu. Quando um parente ou amigo vai lá visitar e começa a chorar, está emanando energia para aquela pessoa, para o espírito dela, onde quer que ela esteja. Então, é um telefone, um fio de contato.

Das pessoas que vão ao cemitério, 99% sentem dor, medo, apego ou tristeza. Se isso não fosse verdade, elas não iriam, pois o que está lá é o corpo em metabolização. A prática de chorar no túmulo considerando que é o corpo do falecido que está lá, é um testemunho, ou seja, quase como um vudu. O espírito da pessoa está em outro lugar, em luz ou em sombra, não importa.

Como eu já falei, o cemitério não deixa de ser um local espiritualmente protegido. Algumas entidades da Umbanda falam que é como um campo-santo. Muito bem, mesmo assim, não há cabimento nesse hábito de ir lá chorar.

Inclusive, se você entende bem desse processo espiritual, você sabe que o que mais dá trabalho para os espíritos que protegem o cemitério é justamente os humanos encarnados que vão lá chorar e reclamar. Acaba se criando um campo psíquico de dor e de sofrimento. Eu sei porque eu atendi dois coveiros em consultório. Infelizmente, um deles morreu de uma forma muito complicada, porque ele estava em contato com o sofrimento das pessoas todos os dias.

É isso que transformava o cemitério em um lugar pesado, e não os corpos em si. O que gera esse psiquismo denso é o fato das pessoas irem lá chorar ou lembrar do parente desencarnado. Entenda que esse ente não está lá, há apenas uma carcaça velha se decompondo. Então, infelizmente não há o menor sentido. Devemos tratar o nosso apego, o nosso medo e a nossa ignorância espiritual.

– Ai, Bruno, criticar é fácil.

É mesmo. Só que eu não estou só criticando o sistema errado, eu me comprometi a escrever este livro para ajudar a esclarecer que isso não é uma prática do nosso espírito, da nossa essência, de pessoas que vivem uma luz, uma energia maior.

Olha, sobre esse negócio de ir visitar o túmulo em dia de finados, eu já conversei, fiz entrevistas com as senhoras aqui da minha cidade e uma delas me disse: — **Ih, meu filho, não tem nada lá, mas eu vou enfeitar o túmulo, porque senão meus parentes vão dizer que eu larguei o falecido, que não estou nem aí para ele. Eu só levo flores para os outros não reparem, mas eu sei que não tem nada lá.**

Eu achei engraçada a história dessa senhora. Ela vai lá, enfeita o túmulo do marido dela no dia de finados e uma vez por mês, porque senão os parentes vão achar que ela se esqueceu do falecido.

Outra pessoa me falou: — **Ah, ele já morreu, não está mais aqui, filho, mas eu levo flor para os outro não repararem. Cidade pequena é assim.**

Essa é a nossa sociedade. A mesma em que, quando você vai a um velório, se não está chorando pelo morto, as pessoas olham para você e dizem: — **Olha, aquele não está chorando. É porque ele não gostava do falecido.**

Tudo isso são aparências, mas sempre há uma forma da mudarmos. Por favor, esqueça o cemitério. Se você quiser rezar para a pessoa que se foi, ore de um jeito carinhoso e amoroso, sem vela. Não é preciso nada disso, apenas a sua intenção positiva! Toda vez que pensar nessa pessoa emane: **— Vá com Deus, vá na paz, vá na luz.**

Assim, você quebra essa sintonia negativa. Essa pessoa precisa continuar. No dia em que você desencarnar e começarem a pensar em você com dor, você vai sentir uma alfinetada. É como se um *cowboy* estivesse lhe laçando, puxando o seu corpo. A sensação parece com uma flechada ou umas alfinetadas.

Você não quer isso, não é?

Então, emane amor e luz para as pessoas da sua vida que já morreram. Se elas fizeram um monte de coisa errada, vão se virar com Deus, sabe?

É isso que eu recomendo para você. Pode ser que você discorde de tudo o que eu falei. Eu estou acostumado com isso e respeito bastante. Eu acredito no ser humano. Creio que, com o caminho certo, ele possa se transformar. Eu gosto de tudo aquilo que nos ensine a viver de um jeito melhor. Pode ser que seja assim para você também. Eu propago isso em tudo que eu faço, nos livros que eu já escrevi e nos cursos que eu já ministrei. Se você quer ajudar as pessoas que são muito apegadas ao cemitério, espalhe esse conhecimento, compartilhe com seus amigos e familiares.

13. Mau olhado: por que as plantas murcham?

As suas flores já murcharam depois de receber visitas? Quantas vezes, a sua plantinha, coitada, secou e morreu após os parentes saírem da sua casa?

As plantas têm alma? Pode ter certeza que sim!

Você certamente já ouviu falar casos intrigantes de plantas que cedem energia para outras pessoas. Eu estou aqui com um galhinho de alecrim, e quando olhamos uma planta como essa, estamos vendo apenas aquilo que os olhos nos mostram. Mas o que eu quero lhe dizer é que, além desse campo físico, nós temos um campo de energia. Embora você não possa enxergá-lo, ele existe. E é por isso que, quando nós recebemos visitas em casa, pessoas que não estão muito bem, é muito comum que a nossa arruda ou a nossa flor fiquem secas.

Então, o que acontece? Toda planta tem um campo de energia ou um campo vibracional, além do físico e da Fitoterapia. Esse campo energético chamamos de "Fitoenergia", que é o poder oculto que cada um dos vegetais possui.

Entretanto, quando voltamos ao passado, esse tipo de poder era confundido, demonstrado por religiões e filosofias específicas ou ainda era tratado como uma questão de crendice popular e de fé.

Você vê em muitos casos da nossa sabedoria ancestral a utilização de ervas que trazem proteção energética para o seu lar ou ainda limpeza espiritual para você. Na cultura popular também há a presença dos abençoados benzedeiros, que sempre utilizavam um galho de alguma planta específica para fazer um processo de benzimento.

Você já ouviu falar disso?

Pois é, tudo isso está associado ao poder oculto das ervas. Esse é um fenômeno, uma energia que todas elas possuem. Acredite se quiser, nós estamos apenas relembrando esse conhecimento.

Os habitantes antigos já sabiam disso. Grandes fenômenos de cura e transformação já aconteceram por meio da energia das plantas.

Agora, o que você precisa entender é que as plantas têm uma aura, uma energia, uma força sutil invisível, que está pronta para atuar na sua vida. Porém, elas só atuam se você souber a "senha" para isso. O meu objetivo aqui é ajudar você com uma técnica simples e objetiva para que você ative o poder oculto das ervas.

Sim, porque você não acha que, pegando um galho de alecrim, arruda ou qualquer outro vegetal, ele vai sair imediatamente trazendo os benefícios energéticos. Mas, para você entender como isso é tão poderoso e potente, eu escrevi um capítulo falando do nosso campo de energia vital e do motivo pelo qual ficamos doentes.

Nele, eu falei que os nossos pensamentos, emoções e sentimentos são nosso genuíno campo de energia. Ou seja, quando pensamos coisas ruins, como mágoa, medo, tristeza e preocupação, nós debilitamos esse campo de energia e a doença pode surgir. Porém, se você já debilitou o seu campo energético, é muito difícil recuperar a harmonia dele por si só.

Então, se souber usar a energia das ervas, você reabilita o seu campo de energia com muito mais força. Em outras palavras, esse campo sutil das plantas, que pode ser fotografado e comprovado, tem a capacidade de ser totalmente transferido para o campo de energia das pessoas que estão em desequilíbrio.

Isso justifica o fenômeno das flores murcharem ou da arruda secar quando você recebe visitas na sua casa. O fato de as plantas murcharem ou secarem não quer dizer que a visita seja do mal, mas significa que essa pessoa está mal em suas emoções, pensamentos e sentimentos.

Do mesmo modo, os vegetais são termômetros de ambiente. Se onde você mora as plantas não se desenvolvem, você pode estar roubando a energia vital delas para a sua recuperação energética. Na tentativa de criar o balanceamento, essas plantas e flores que você tem em casa doam a energia delas para lhe ajudar.

Esse é um fenômeno muito conhecido e natural. Por isso, é muito importante você ter em casa um arranjo de flores, ervas ou até um pequeno jardim, mesmo que você more em apartamento.

A vibração que está presente tanto em um galhinho que eu colhi agora quanto em uma erva já desidratada possui uma ação poderosa e sutil. Esse campo de energia eu consegui comprovar por meio do estudo com a Fitoenergética, que foi abordado no meu primeiro livro.

Essa eficiência energética já mudou a vida de milhares de alunos. O que conseguimos perceber hoje é que essa justa vibração está mudando os pensamentos, emoções e sentimentos, atuando na verdadeira causa dos problemas.

Mas, para isso, você precisa aprender a ativar o poder oculto dessas ervas. Você precisa saber que quando está diante de um prato de salada, de um chá de ervas desidratadas ou mesmo de um vasinho em seu jardim, você pode entrar em contato com o lado totalmente poderoso e transformador das plantas.

Quando você sabe entrar em sintonia com esse campo de energia, os vegetais passam a suprir as suas perdas energéticas diárias. Imagine que, mesmo com um problema, uma dificuldade ou um estresse no trabalho, para você é diferente, porque com práticas muito simples você sabe mudar a sua vibração, seja com um chá, seja com vasinhos de planta dentro da sua casa.

Imagine que o seu filho está muito birrento, brigando na escolinha com os colegas. Para qualquer mãe, isso seria um desespero, mas para você é diferente, porque, quando seu filho chega em casa, você sabe utilizar plantas para mudar a vibração, a energia vital e a sintonia dele.

Imagine que você está realmente com algum problema de saúde e que nenhum médico sabe a causa. Para qualquer pessoa seria um caso desesperador, mas para você é diferente, porque sabe que você é muito mais do que um corpo físico, que a sua doença está associada à alma e que o campo de energia das plantas pode lhe ajudar muito.

Uma das coisas que fazemos com muita simplicidade e tranquilidade é o chá. Pode ser também uma salada ou qualquer preparo com ervas e plantas que você tiver na sua frente. Se for uma xícara de chá, você pode colocar as mãos sobre ela, elevar os seus pensamentos a Deus, ao que você acredita, e agradecer essa energia do seu jeito. Então, você pode dizer a simples frase: "Eu abri o meu canal de cura". Se é outra pessoa que vai tomar, você diz para ela falar: "Eu abri o meu canal de cura".

Sempre que você for fazer um preparo, você deve usá-lo com muita harmonia, com um sentimento de gratidão. Diga: "Obrigado, obrigado, obrigado". Siga dizendo: "Eu entro em sintonia com a energia do verde, eu entro em sintonia com o reino vegetal. Eu abri o meu canal de cura". E pronto!

Eu acredito que o poder das plantas pode mudar a sua vida e as suas emoções e sentimentos. Eu tenho certeza que não custa nada tentar! Sinta como é bom sair do ciclo da doença e ter em suas mãos uma ferramenta que faz a diferença! Eu acredito em você, senão não estava aqui.

14. Os sinais que a vida dá

Você já ouviu falar sobre sincronicidade, aquelas coisas que acontecem de forma meio mística e parecem que são sinais que a vida dá?

Pois eu tenho uma notícia para você: a vida, o mundo, enfim, o universo nos dá sinais mesmo!

Na hora em que você começa a buscar a espiritualidade, o desenvolvimento da sua consciência, você pode dar o nome que você quiser para isso – não precisa ser necessariamente espiritualidade, você começa a se deparar com um aumento da sua própria percepção.

E o que o espiritualista faz? Ele começa a olhar ao seu lado e percebe que nada é por acaso. Nesse caminho, ele passa a considerar as coincidências, conhecidas como sincronicidades. Você está pensando em uma pessoa, quando ela telefona. Você está precisando de uma ajuda em especial, e esse auxílio aparece. Você teve uma ideia, que depois puxou outra melhor ainda. Enfim, tudo isso é sincronia. Parece que as coisas estão alinhadas.

Em outras palavras, sincronicidade significa estar no fluxo certo. É você ter uma ideia, um sentimento e uma ação na mesma direção. Assim, você magnetiza para sua vida mais pessoas, coisas e acontecimentos que tem a ver com a sua ideia ou o seu sentimento. Então, você vai sentindo a sincronicidade.

– Puxa vida, eu estava louco para ler sobre determinado assunto, e não é que um amigo me deu esse livro de presente?

– Caramba, eu estava pensando sobre aquela pessoa, fui a um lugar e encontrei ela.

– Nossa, eu estava atrás de uma forma de fazer um negócio para mudar de vida, liguei a televisão e o cara estava falando exatamente sobre o assunto.

Isso tudo é sincronicidade!

O que a sincronicidade quer lhe dizer? Que a sua vibração atrai uma energia semelhante. O que você está pensando ou sentindo gera um magnetismo. Assim como um imã, ele atrai mais coisas parecidas com essa mesma frequência.

Resumidamente, se você está ouvindo uma rádio de rock, você vai ouvir as batidas desse ritmo, se você está ouvindo uma estação musical sertaneja, você vai escutar músicas com esse estilo, além de atrair pessoas, sentimentos e vibrações que esses tipos de canções proporcionam. Você pode dar risadas, sofrer ou se emocionar de acordo com o som que está ouvindo, qualquer que seja ele – rock, sertanejo ou música clássica.

Agora, esse é o ponto. A sincronicidade diz que você está alinhado ao que pensa e sente – o que pode ser algo positivo ou negativo. Esse alinhamento, por sua vez, não quer dizer que está certo, pois você pode estar alinhado à raiva, ao medo, à preocupação ou à ansiedade. Quando está com esses sentimentos de baixa vibração, você pode falar: – Meu Deus, só falta cair o telhado na minha cabeça.

Às vezes cai mesmo, queima uma lâmpada, estoura um equipamento ou você dá uma joelhada no canto da mesa, porque a sua vibração está no alinhamento da dor, do sofrimento e da desgraceira. Esse é o ponto. A vida dá sinais!

Então, você precisa se ligar nessas respostas que o Universo lhe dá.

Quando esses sinais aparecem, você precisa se perguntar: – O que eu estou fazendo? Qual é a minha responsabilidade?

Você precisa compreender que ser um espiritualista é ser alguém que acordou, que é o criador da sua própria realidade, que entendeu que é o responsável pela sua vida, pelo seu sucesso ou pelo seu fracasso.

Se a sua vida está linda, parabéns! Foi você quem criou, atraiu, magnetizou e aproximou a beleza que é a sua vida. Já se a sua existência está mais para um castelo de terror, sinto muito, mas foi você quem criou, atraiu e manifestou esse horror.

O primeiro passo do espiritualista é sair do papel de vítima: **– Ah, não! É culpa do governo, do meu pai, da minha mãe, do vizinho, de eu não ter oportunidade, de eu ter nascido pobre, de eu ter nascido feio...**

E não é nada disso! A vítima é a pessoa que está esperando o salvador, é aquela que sempre vai ser o efeito e nunca a causa.

Eu lhe pergunto: você é a causa ou o efeito? Você é a causa quando determina que você quer mudar a sua existência. No instante em que você entende as sincronicidades, as causas começam a surgir na sua realidade de maneira muito mais fácil.

Em primeiro lugar, se a sua vida está um monstro, uma desgraceira, um problema ou um enrosco só, foi você quem criou! O primeiro passo para mudar isso tudo é ter entendimento das respostas que a vida dá. Em segundo lugar, é preciso uma sintonia melhor. Então, fique atento aos alertas do Universo.

Neste exato momento, a vida está dando sinais para mim e está enviando para você também. Tudo o que você está sentindo agora são sincronicidades. O que você vai sentir amanhã são sinais. A Fonte Maior está falando com você o tempo inteiro.

Quando você começa a interpretar esses sinais no seu corpo, na sua vida, nas pessoas ao seu redor, começa a fazer um bom uso da espiritualidade, do conhecimento e da consciência.

dos sonhos repetidos

E você, também já teve sonhos recorrentes?

Neste mês, no mês passado, no ano passado, dez anos atrás, você está sempre sonhando com as mesmas coisas? Por mais que mude o cenário, o sentimento é sempre o mesmo? Você quer saber o que eles significam?

Os nossos alunos e seguidores nos perguntam muito sobre o significado daqueles sonhos que acontecem sempre. Já aconteceu com você também? Com o seu filho ou alguém da sua família?

Então, eu vou explicar para você, mas acima de tudo eu preciso falar sobre os padrões de sonhos. O primeiro deles é o que eu chamo de "burburinho psíquico". Por exemplo, você ficou assistindo a um filme de terror antes de dormir e teve um pesadelo exatamente com aquilo. Ihhhh, o sonho também tinha o seu chefe no meio? Às vezes isso pode ser pior que um filme de terror. Só às vezes...

Para outras pessoas, sonhar com a sogra pode ser um filme de terror. Opaaaa! Ou ainda com o genro! Mas pode ser que tudo isso esteja lá escondido, porque naquele dia você encontrou a sua sogra, ligou para o seu genro, trabalhou com o seu chefe e, ao final, assistiu a um filme de terror. À noite, você tem fragmentos do que passou durante o dia. Quase sempre esse tipo de sonho só surge porque você não está no estágio ideal para dormir.

O segundo padrão eu chamo de "recordação de vidas passadas". Sim, você se lembra de uma situação, pode ser uma fuga da polícia, a queda de um morro ou ainda algum trauma. São situações repetitivas, mas você percebe que há tristeza, medo, preocupação, ou seja, existe um sentimento forte associado.

Veja bem, embora o sonho seja meio bagunçado, a emoção predominante é sempre a mesma. Nele, você percebe que foge ou é abandonado por alguém, que lhe passaram para trás, que foi injustiçado ou preso... Por mais que mudem o cenários, a ideia se repete.

Quando você dorme, a sua alma se expande, você sai do seu corpo físico. O seu corpo físico dorme, mas a sua alma acorda. Ao acordar, ela aflora os potenciais do inconsciente. É o momento em que vem à tona as recordações de vidas passadas.

– Mas, Bruno, eu sou evangélico, eu não considero vidas passadas.

— Bruno, eu sou cético, eu não acredito em outras vidas.

Não há problema, esquece esse nome "vidas passadas". Entenda que a sua alma aciona o seu DNA, a sua genética e todos os registros que você possui. Você vai ver que faz mais sentido, pois essa questão não é algo espírita, budista, islâmico ou jainista. Não é nada disso, trata-se da alma humana.

A nossa Bíblia foi alterada, mas essa informação a filosofia comprova para você. De lá para cá, todos os termos que falam da reencarnação ou da existência cíclica, como os hindus falam, foram retirados da Bíblia.

Nós temos esse elo quebrado, mas eu não quero entrar nessa discussão. Caso você não acredite ou não goste disso, esqueça esse assunto.

O terceiro tipo de sonho é o que eu chamo de "projeção astral". Nele, ocorre a saída do corpo, a viagem astral. Há outros nomes como emancipação da alma ou desdobramento astral, de acordo com as diferentes sociedades, filosofias e regiões do mundo.

Na projeção astral, a sua alma acorda depois que o seu corpo dorme, estabelecendo uma consciência na qual você tem contato com entes queridos. É uma espécie de sonho lúcido, porque há início, meio e fim, enquanto no primeiro padrão, não, é tudo bagunçado.

No segundo padrão, existe um sentimento ruim predominante, mas no terceiro há uma consistência de pensamentos ou uma sensação muito real. Nele, há uma percepção e um sentido reais, você pode encontrar um parente que já desencarnou. Às vezes, você pode até ter contato com uma entidade sombria, porque a sua sintonia não está tão legal.

Há ainda um quarto padrão de sonho, em que a pessoa vai dormir tão bagunçada, que mistura tudo. Ela tem a capacidade de sonhar tudo ao mesmo tempo, o que torna a vida dela um verdadeiro caos.

No bônus on-line deste livro, você encontra mais informações sobre como se preparar para dormir, além de como fazer os treinamentos espirituais durante o sono.

Os sonhos que se repetem, do padrão dois, são explicados pelos traumas de vidas passadas. Para esses casos, você pode buscar um terapeuta especializado em Psicoterapia Reencarnacionista, que é uma terapia pautada nas experiências de outras vidas para compreensão da finalidade da sua existência atual.

O EFT (*Emotional Freedom Techniques*) é outro método terapêutico que ajuda muito. Dentro da Fitoenergética, temos o Aparelho Transmissor Fitoenergético (ATF), que é campeão nesse caso. O Reiki, as Barras de Access e a Apometria são outras técnicas que ajudam a limpar os traumas do passado. Então, se você tem esses sonhos recorrentes procure saber mais e escolha um desses tipos de tratamento.

Compartilhe esse conhecimento se você quer ajudar mais pessoas a conquistarem uma vida melhor, livre de traumas e bloqueios. Você também acha que o mundo precisa de mais espiritualidade, uma consciência livre, leve, com discernimento, sem misticismo e enrolação? Embora algumas pessoas achem que eu enrolo demais, tudo bem, cada um na sua. Sem enrolação! Eu tenho certeza que esse conteúdo vai ajudar você, os seus familiares e amigos.

16. Incenso funciona?

Acender incenso faz bem, funciona para alguma coisa, melhora a energia da minha casa? O que esse tal de incenso faz? Olha, eu tenho certeza que se você gosta de espiritualidade você já ouviu falar sobre incenso.

Se você quer saber se ele realmente funciona e tem vontade de compreender mais, a primeira coisa que você precisa entender é a composição dele. O incenso é feito de algumas resinas, ervas e óleos essenciais que exalam um perfume ao serem queimados e trazem consigo uma energia em potencial.

Essa energia está lá, não está sendo usada, mas pode ser ativada a qualquer momento. Cada uma dessas ervas, resinas e óleos possui uma energia própria. Quando são combinadas trabalham uma determinada vibração do ambiente.

Há incensos que trabalham especialmente a harmonia familiar. Já outros atuam no relaxamento pessoal. Ainda existem aqueles que auxiliam na energização do ambiente. Cada um deles tem um papel específico, mas qual que é o grande lance?

Além das suas propriedades fitoterápicas, as ervas possuem uma função vibracional, ou seja, atuam no campo de energia. Ainda existe um outro elemento que faz com que tudo aconteça e se modifique: o fogo. Por si só, ele já é um elemento transmutador. Uma chama é uma vibração de transmutação e de transformação.

No momento em que o fogo queima a erva, a resina e os óleos essenciais, propaga com mais intensidade essas vibrações para o ambiente. Desde que nascem, as plantas recebem as forças de todos os elementos: água, ar, fogo, terra e éter – o fluido maior. Quando o fogo começa a queimá-las, elas liberam no ambiente a força de cada um desses elementos.

Eis a magia de um incenso!

Agora uma coisa é certa, se você acender um incenso por acender, vai ter um efeito menos significativo. Já se você fizer uma conexão ou prece, do seu jeito mesmo, e ativar uma intenção antes de acender um incenso, vai ter resultados sensacionais.

Mas somente se não for uma oração de "pedinte espiritual", como estas:

– Ai, me ajuda com este incenso, Deus.

– Senhor, me ajuda a ter isso, me ajuda a resolver aquilo.

Isso não funciona, apenas cria um sentimento de carência, o que não faz a sua oração propagar uma boa vibração. Tudo muda se você se aproxima do incenso e pede que ele canalize uma energia do bem, contemplando os componentes dele. A verdadeira força do incenso só vai se manifestar se você estiver conectado e o acender com uma intenção positiva, ativando nele a sua gratidão.

Esse sentimento de carência aciona o quanto você não tem e mostra que você está vibrando na escassez. Tome esse cuidado no momento em que for acender um incenso. No bônus on-line deste livro, você vai aprender o que é ser um pedinte espiritual, recomendo que você entre no link que está na página 1 e acesse para saber mais.

O incenso realmente funciona e as vibrações que ele espalha pelo ambiente são incríveis. Além das propriedades vibracionais das plantas, existe a força dos elementos que eclodem no momento em que acendemos o incenso, porque esses elementos estão impregnados na vibração da erva, da resina e do óleo essencial utilizados em sua fabricação.

Saiba que há incenso para tudo o que quiser – seja para limpeza, seja para proteção, seja para amor, seja para harmonia – as próprias caixinhas deles indicam para quais objetivos devem ser usados. Depois, quando for acender, mentalize uma intenção associada a uma gratidão.

Outra dica para finalizar. Ao comprar um incenso, você não sabe os caminhos pelos quais ele passou, nem de que forma ele foi produzido, se a mão de obra foi escrava ou não. Isso tudo influencia no poder do incenso. Então, também procure produtos com a melhor qualidade possível, lembrando sempre de ativar uma intenção positiva antes de acendê-los.

17. Por que nós ficamos doentes?

E aí, você sabe por que ficamos doentes? Esse é o assunto que eu vou explicar para você agora, usando uma pequena vela como exemplo. Entender o motivo pelo qual ficamos doentes faz parte do conceito da espiritualidade, que é o entendimento da nossa missão, da interação entre planos, de que somos construídos por vários aspectos, e não somente o físico.

O materialista acha que a vida é só material e física, que só é real aquilo que ele pode ver. Já o espiritualista considera outras perspectivas. Não estou aqui para considerar apenas a questão da fé, mas para lhe explicar muitas coisas do ponto de vista científico para que você possa entender como funciona.

Muitas pessoas me perguntam: – Por que ficamos doentes? Eu vou usar uma vela para explicar. Agora, quero lhe dizer o seguinte, eu sou químico de formação, estudei técnico em química, depois fiz faculdade de química industrial e trabalhei quase dez anos na indústria. Eu não ignoro nada do que a medicina está fazendo, e acho que o grande segredo da cura é a união de esforços nos campos da ciência clássica e da terapia holística, das curas vibracionais, da mudança de pensamento, do paradigma quântico e de tantas outras correntes.

Eu considero um erro grave, além de qualquer medicina trabalhar sozinha, acreditar que a única medicina que existe é essa clássica ocidental dos remédios, dos hospitais e das cirurgias. Ela é importante, fundamental, eu preciso dela, você também precisa. Não estou reclamando, nem criticando. Só estou dizendo que essa medicina não é única, ela faz parte de um todo.

Por isso, eu quero lhe dizer o seguinte: você fica doente se estragar um conjunto de coisas na sua vida. E esse conjunto de coisas está ligado ao físico, ao mental, ao emocional e ao espiritual. O que eu vou falar aqui se refere muito mais ao mental, emocional e espiritual, porque você vai ver que eles afetam tudo.

Mas uma das coisas que eu preciso que você entenda é que uma alimentação intoxicante, hábitos errados, falta de exercício físico, sono desequilibrado e tantas outras coisas vão prejudicar muito a sua saúde. É um pilar importante, principalmente porque, quando você afeta esses aspectos da sua vida física, você aflora coisas que eu vou falar agora.

Na época em que eu estudei para trabalhar como químico, uma das coisas que comecei a fazer nos primeiros semestres da faculdade ou na época do colégio técnico, quando eu tinha 17 anos, foi o exame de laboratório de chama. Dependendo do metal ou da substância, se produz uma chama diferente. Tanto que todo mundo que tem uma cozinha com fogão em casa sabe muito bem que a cor da chama determina a qualidade do gás.

Imagine uma chama levemente amarelada. O gás que tem a chama dessa cor é menos puro. Já o que tem a chama azul possui mais pureza. Isso significa que há algumas substâncias prejudicando a combustão. O comburente, a combustão e a ignição fazem com que o fogo aconteça.

No caso de uma vela, a cera e o pavio são o combustível basicamente. Já o comburente é o conjunto de gases que nós temos dissolvidos na atmosfera, que permitem que a queima aconteça. A ignição acontece no momento em que acendemos essa vela. Combustível, comburente e ignição – sem qualquer um desses itens o fogo não aconteceria.

Agora, aonde eu quero chegar? É que a qualidade desta chama está ligada à qualidade do material, do gás. Isso é uma metáfora do que acontece na nossa realidade também. Deixa eu lhe explicar. A chama da vela está envolvida por um conjunto de gases dissolvidos na atmosfera, utilizados para manter a queima, junto com o combustível, que são a cera e o pavio. Se eu tirar o gás ou a cera, o fogo simplesmente para.

Nós estamos inseridos em um planeta envolvido por uma atmosfera. Diariamente, por meio da respiração, da alimentação, da água, da meditação e de outros elementos nós absorvemos a energia vital. Da mesma maneira, como esta vela está absorvendo gás, fazendo uma analogia, nós absorvemos energia vital.

Essa energia vital está magnetizada ao planeta, fluindo livremente dentro dele. A partir do momento em que nós respiramos, pensamos, sentimos e nos alimentamos, essa energia cósmica toca o nosso ser. Quando eu respiro ou me alimento, essa energia que era livre e cósmica, passa a ser energia magnética.

Então, quando eu penso, sinto, respiro, como, bebo água, eu absorvo energia magnética. Ela era cósmica, mas quando eu sinto, toco e penso, ela começa a "colar" em mim, assim como a chama consome os gases na atmosfera, oxigênio, nitrogênio e outras substâncias.

Eu também estou todos os dias pegando energia vital que está solta. No momento em que eu respiro, por exemplo, ela magnetiza ao meu redor e forma a minha aura. Do mesmo modo que a chama de uma vela tem a sua aura. Se a substância que é utilizada para queimar continua íntegra, a chama se manterá na mesma cor.

Agora, se eu mudar a substância da queima, a chama troca de cor. Dependendo do tipo, ela pode ficar mais escura, soltar fragmentos e fuligens.

E é aí que entra o processo pelo qual ficamos doentes. Veja bem, quando a energia está solta, eu respiro e ela cola em mim e vira energia magnética. Essa energia livre, fluida e leve passa a receber influência do elemento ou da natureza do que eu penso e sinto.

Da mesma maneira que o combustível muda a chama da cor da vela, o combustível do que eu penso, sinto e alimento modifica a qualidade da energia vital.

A energia cósmica é livre, mas quando toca em mim se transforma em parte da entidade que eu sou. Diariamente eu aplico pensamento, emoção e sentimento nesse campo de energia invisível ao nosso redor que nós chamamos de aura.

Nós possuímos uma aura ao nosso redor como a vela tem uma aura que ilumina e está em torno dela. Aí está a chave de ficar doente ou saudável. Quando eu aplico pensamento, sentimento e emoção ruim em relação ao que eu sinto todos os dias, eu vou manipulando a vibração da minha aura na direção do pensamento que eu faço.

Isso explica a lei da atração. Pensamentos tornam-se coisas. O que eu penso, sinto e manifesto na minha vida estão sempre relacionados. A partir do instante em que penso com raiva, ódio, medo ou tristeza, eu vou alterando essa qualidade da energia que eu manifestei, modificando a limpeza e a pureza dela.

Se tenho preocupação com os filhos, ansiedade com as contas a pagar, chateação, desapontamentos, medo de não ser amado ou de não ser bom o bastante, insatisfação, tristeza, reclamação, enfim, todas essas emoções que todos nós vivemos, começamos a "nublar", a desequilibrar e a mudar as proporções dessa energia que tocou em nós de maneira leve, sutil e suave.

Por que a meditação é tão boa e poderosa? Por meio da prática meditativa elevamos os nossos pensamentos e voltamos ao estado inicial em que não estamos contrários à energia cósmica. Nos estados de liberdade, tranquilidade, aceitação, não resistência, equilíbrio, paz e harmonia, você está no mesmo padrão do Universo.

A energia toca em você e não há conflito. Mas quando você está vivendo o dia a dia em uma corrida maluca, chateado, triste, rancoroso, bravo, o padrão da energia cósmica toca em você e se transforma, formando verdadeiros buracos e desequilíbrios na sua aura.

Acontece que, se esse problema é ligado ao seu pessimismo, esses buracos são na região da cabeça. Se os problemas são relacionados à mágoa, à tristeza e ao ódio, esses buracos são na região do estômago.

Já se são ligados ao trabalho, ao dinheiro, à estrutura material e física, os buracos são localizados nas áreas dos órgãos sexuais. E assim por diante, de acordo com a teoria dos chacras, que é um assunto que eu já falei mais profundamente em outros livros, vídeos e cursos.

É nesse momento em que estou vivendo em um Universo onde há energia cósmica e, a partir do meu livre-arbítrio de pensar e sentir, eu mudo a energia que toca em mim e começo a criar doenças.

O que eu penso e sinto manipula essa energia vital, que começa a se desqualificar e passa a acionar os meus chacras, que são centro energéticos de consciência.

Os chacras estimulam a produção de enzimas e sais minerais por meio da produção de hormônios, que estão associados às glândulas endócrinas principais.

Cada chacra está associado a uma glândula endócrina. O pâncreas, por exemplo, produz a insulina. Já o timo, na região do coração, produz o linfócito T, que trabalha a nossa imunidade. Na garganta temos a tireoide, que produz substâncias que fazem com que você purifique o seu sangue. O hipotireoidismo e o hipertireoidismo estão associados a essa área. Já as suprarrenais, por exemplo, secretam a adrenalina. E todas essas funções desempenham processos químicos no nosso corpo.

A doença acontece quando há o desequilíbrio. Esse é o elo perdido da medicina, pois ela não considera o fato de que o que você pensa e sente geram uma reação no seu campo de energia, que afeta as glândulas endócrinas principais, que, por sua vez, influenciam a produção de vários hormônios, prejudicando o seu corpo.

Então, você fica doente. Em vez de mudar o seu jeito de pensar e sentir, você começa a tomar remédio e não modifica seus pensamentos e sentimentos, ou seja, não muda a verdadeira causa da doença.

Ficamos doentes porque pensamos e sentimos de maneira desqualificada, mudamos a energia ao nosso redor, modificamos os estímulos dos chacras, que alteram o estímulo das glândulas e a produção de substâncias essenciais do corpo e acabam causando as doenças.

Não adianta tratar uma doença com substâncias externas, pois você cria outras e não ataca a causa. Se eu desequilibrei a serotonina, não adianta incluí-la separadamente no meu organismo, substituindo-a por outra substância química.

A cura é a mudança de consciência, de emoção, de pensamento e de sentimento. Quando você entende isso, faz uma revolução na sua vida. Você percebe que o seu pensamento e a sua emoção precisam estar em sintonia com a vibração cósmica que lhe banha diariamente para criar a verdadeira cura.

– Mas, Bruno, como eu posso acelerar isso?

Você sabe que eu tenho sempre por perto ervas que eu colho no quintal? Eu fiz um estudo de muitos anos que deu origem a um livro e a um trabalho que é reconhecido até fora do Brasil, chamado Fitoenergética, a energia das plantas no equilíbrio da alma.

Por meio desse sistema de cura natural, eu explico como você pode usar uma combinação perfeita de plantas para cada caso seu, da sua família e para tratar os seus animais de estimação, devolvendo esse equilíbrio que nós todos perdemos durante a nossa rotina diária, que faz com que a chama da nossa vida não fique tão estabilizada como a de uma vela.

Você pode alimentar o combustível e o comburente certos para que essa aura ao seu redor seja sempre equilibrada. Quando sabe equilibrar o seu campo de energia, você tem saúde. E as plantas têm a força de nos devolver essa saúde e esse equilíbrio energético que perdemos diariamente, de forma simples, natural e sem contraindicação.

Bom, eu espero que você cure a sua vida. Eu acredito que você pode fazer isso. Como eu acredito? Eu já fiz e vi isso acontecer sistematicamente com muitos alunos. Eu continuo tendo dores e doenças, mas cada vez menos e cada vez mais controlado. Eu compreendo cada vez mais como eu posso mudar a minha realidade, como eu posso me curar dia após dia, sabendo utilizar um sistema que faz a diferença.

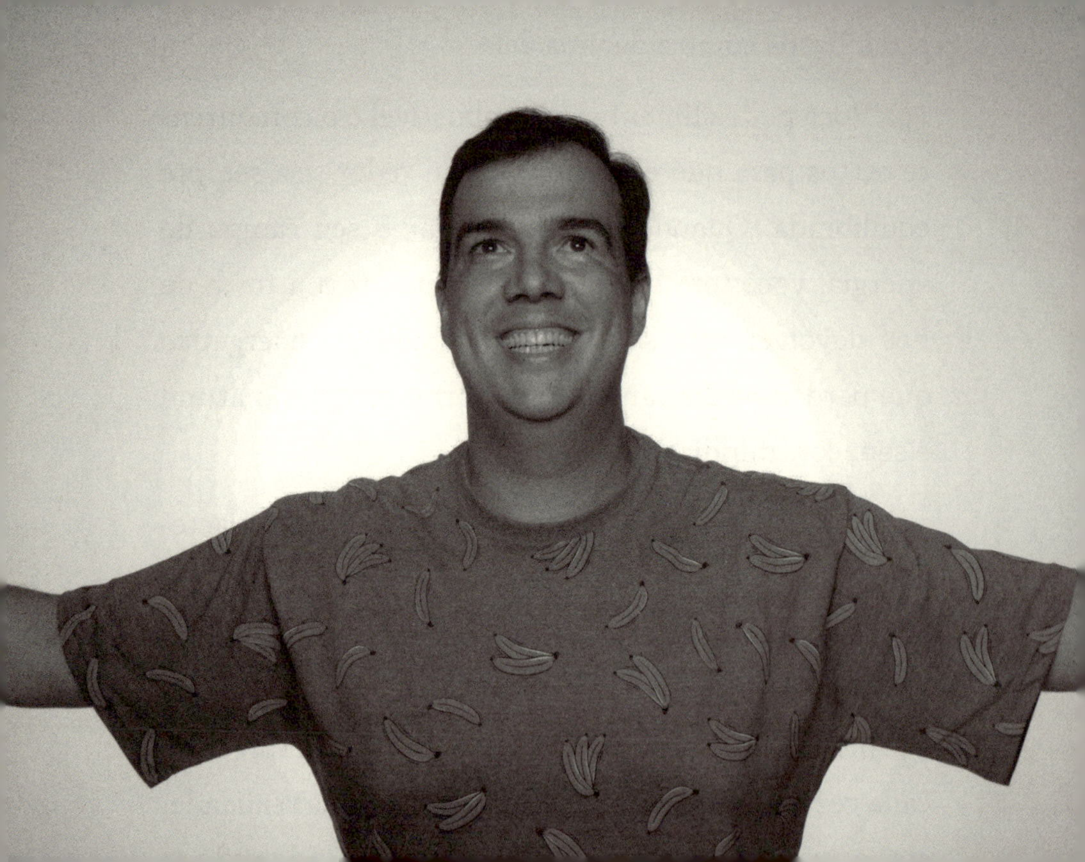

Você já sonhou que estava voando? Sim? Olha, muitas pessoas já tiveram esse sonho. Ele tem um significado incrível e, ao mesmo tempo, muito simples. Para lhe explicar eu tenho que fazer uma introdução, caso você não saiba dos padrões clássicos de sonhos.

Já falei sobre isso no mistério dos sonhos que se repetem, mas podemos retomar esse conteúdo. O primeiro padrão é aquele em que você sonha com as coisas da sua realidade diária. Quando você vai dormir meio perturbado psiquicamente, o que é normal hoje, você sonha com coisas que aconteceram durante o dia. Esse é o sonho clássico, que você descarta porque ele não tem nexo.

O segundo padrão de sonho é a recordação de vidas passadas, em que você sempre sonha com a mesma coisa. Aí vem o terceiro padrão, quando você tem uma projeção astral. Já o quarto padrão é uma mistura de tudo. Você tem condições de, em um único sonho, embaralhar tudo, virando uma bagunça só.

O seu espírito está associado ao seu corpo físico, mas quando você dorme ele se desencaixa do físico.

Você faz isso, sabendo ou não. Algumas pessoas com o tempo começam a perceber as saídas do corpo com consciência.

E o que acontece? Ao flutuar para fora do seu corpo, o que você sente?

É como se você estivesse voando. Então, você se percebe projetado, fora do seu corpo físico. Em outras palavras, é a projeção astral, o desdobramento da alma ou a emancipação da consciência. O nome pode ser o que você quiser dar, existem vários. Dependendo das origens, há nomes diferentes para esses fenômenos.

Na projeção astral, o seu corpo espiritual passeia. Às vezes, é só pelo seu quarto, muito próximo da cama. Já em outras ocasiões vai a outros lugares e dimensões, dependendo do seu estado de elevação.

Mas é importante compreender que a natureza do ser humano é sair do corpo físico enquanto dorme. No momento em que o seu corpo dorme, a sua alma desperta. Por isso, você tem a sensação de que está voando. Ela é deliciosa!

Algumas pessoas têm medo, mas é um processo natural. Eu vou lhe dizer uma coisa, quando sonhar que está voando, acordar no meio do nada e sentir o seu corpo em catalepsia projetiva – quando você se sente um pouco travado –, não sinta medo. É só esperar que tudo já volta ao normal.

Com simples práticas antes de dormir, você resolve isso. Então, você passa a perceber que dormir é um evento espiritual e que é preciso aproveitá-lo melhor.

Em primeiro lugar, você precisa se preparar para esse momento. Higienizar a sua mente, fazer uma oração simples, respirar profundamente de 10 a 20 vezes são alguns passos que você pode seguir tranquilamente antes de se deitar. Assim, você vai oxigenar o seu cérebro, limpar a sua aura e elevar os seus pensamentos.

Agora eu quero lhe convidar a conhecer a Conexão de Quatro Etapas. Você pode baixá-la a qualquer hora no bônus do livro (*luzdaserra.com.br/misterios*), se você ainda não a conhece. Essa é a minha sugestão para você. A Conexão de Quatro Etapas apresenta resultados incríveis, mas é claro que você também pode fazer uma prece do seu jeito.

O importante é se conectar, estar em estado de gratidão, fazer uma respiração profunda, lembrando que o tempo da expiração deve ser o mesmo da inspiração. Eleve os seus pensamentos a Deus, convoque os seres de luz em quem você acredita e confia.

Não assista televisão até o último instante, prepare-se para dormir. Faça deste horário um ritual de cinco a dez minutos, em que você se deita, relaxa e se organiza para o sono.

O corpo espiritual é o corpo de consciência. Nós somos esse corpo de energia. O meu objetivo é ajudar você desenvolver a sua espiritualidade e, acima de tudo, desmistificar esses mistérios da alma para você.

dos obsessores

Espíritos de sombras, obsessores, seres do mal que interferem na vida das pessoas, incluindo a sua. Quer saber mais como esse assunto funciona?

Então, fica comigo, vamos falar sobre as influências espirituais negativas.

Eu tenho a tal da mediunidade, ou seja, a interação extrafísica com a energia e a espiritualidade. Um dos assuntos que eu mais gosto de falar e sobre os quais as pessoas mais me mandam mensagens é sobre os espíritos desencarnados que geram influências negativas. Da influência espiritual positiva ninguém reclama, não é? Mas a influência espiritual negativa todo mundo critica, ninguém quer.

A primeira coisa que eu quero lhe lembrar é que nós temos um corpo físico, e dentro dele há um espírito. Eles estão encaixados um no outro. Quando você morre, o corpo espiritual desencaixa do corpo físico, que acaba se decompondo.

Por isso, a Bíblia diz que jamais se nasce duas vezes. Está certo. Só que quando a Bíblia diz que jamais se nasce duas vezes, a expressão está falando do corpo físico. Esse corpo material não ressurge na própria carne. Porém, o espírito nunca morre.

Em um processo de existência cíclica, ou *samsara*, como se diz no Oriente, você pode reencarnar de novo em outro corpo e começar a vida de novo. Depois que você desencarna, o espírito se desencaixa, o corpo padece, seguindo o mesmo ciclo.

Qual o objetivo disso?

Segundo Allan Kardec, "o espírito precisa de experiência para evoluir". No Oriente, várias religiões falam da reencarnação. Se você tiver um Bhagavad Gita ilustrado, livro sagrado da tradição milenar indiana, você vai ver o ciclo da reencarnação mostrado ali. As maiores religiões do mundo falam sobre isso.

Em 553 d. C., aconteceu o Concílio de Constantinopla. Ei, não vá achar que eu estou inventando história. Vá a uma faculdade de História ou Filosofia e busque o conteúdo, vejam como eles falam sobre esse tema. Há diferença no período de tempo, alguns falam que foi no ano de 553, outros em 554, mas o fato é que durante o Concílio de Constantinopla foi aprovada uma alteração da Bíblia, retirando dela conceitos reencarnacionistas.

Uma votação foi realizada para alterar este livro sagrado importantíssimo para a formação cultural e espiritual da nossa civilização, principalmente, nesta parte aqui do Globo terrestre. Essa alteração não fala sobre a reencarnação, tirando basicamente a noção da experiência cíclica do espírito.

Hoje você vai ver na Bíblia que existe um céu e um outro lugar que não é o paraíso. Também mostra que quando você morre o mundo não acaba. Só acaba esse mundo físico, mas você vai para o mundo dos mortos, vira um espírito e acabou. Pronto, não se fala mais nisso. Tudo porque a Bíblia foi alterada.

A infância passou a ser o começo, e a morte o fim. Então, começamos a ficar com medo, a sentir limitação, porque achamos que a nossa vida vai ocorrer dentro de um período determinado, daqui até ali, e isso é uma grande mentira.

Na nossa vida, quando nascemos o corpo é novo, mas o espírito é velho. Então, a infância é o recomeço. Quando alguém morre, o corpo morre, mas o espírito continua. É um retorno para a pátria espiritual. Mas o que temos de entender é o seguinte: semelhante atrai semelhante.

Já que eu estou aqui meio pastor hoje, saiba que a cada um será dado conforme as suas obras. Isso quer dizer que se você semeou "tal coisa", você vai colher "tal coisa". Está claro, não é?

Nesse caso, quando desencarnamos, o nosso espírito está magnetizado pelo resultado de tudo o que fizemos na vida. O que você plantou na sua existência, você vai colher vibracionalmente. No momento em que desencarna, você pode tomar decisões.

Você só escolhe ficar na dimensão terrena, porque está apegado ou porque está com medo, tristeza, culpa, ressentimento, enfim, carregado de emoções negativas.

Em outras palavras, você só fica magnetizado na sintonia da dimensão do plano dos vivos, mesmo sendo um morto, ou melhor, um espírito, porque tem vibrações equivalentes ao plano físico.

E aí que começa o assunto das sombras. Precisei fazer essa grande introdução. Muitas pessoas me mandam mensagens dizendo que não aguentam mais espíritos de sombra, obsessores, seres do mal, que estão atrapalhando a vida delas.

Eu queria lhe dizer o seguinte: os espíritos de sombra são muitíssimos poucos: 1% de todo o processo de obsessão que se vê por aí. Já 99% das obsessões que nós vemos de espíritos que atrapalham mesmo a vida das pessoas são espíritos de pessoas comuns, como um avô, pai, tio, irmão, vizinho ou chefe, que desencarnaram cheios de medos, sentimentos de preocupação e pouca consciência espiritual.

Quando desencarnam, eles não sabem nem o que aconteceu, porque o corpo morreu, mas eles se sentem vivos. Eles acham que estão vivos, mas estão no *looping*, ficam presos às sensações da matéria e não conseguem evoluir.

E como vão conseguir evoluir se estão presos à matéria? Eles vão se aproximar de alguém que tem matéria, que possui um corpo físico vivo.

A partir daí acontece a influência negativa: o espírito desencarnado, todo perdido, aproxima-se de alguém que está vivo para poder sugar ou absorver as vibrações. Assim ele vai se virando, consegue sobreviver dentro do mundo dos encarnados. Esse espírito começa a roubar energia dos encarnados e se transforma em um obsessor, ou seja, depende do que o outro faz para viver.

Se em vida eu gostava muito de comer pão, é provável que o hábito de comer pão continue. E se eu for viciado em pão? Eu vou querer comer todos os dias. Então, eu me aproximo de quem come pão. Por outro lado, se eu sou viciado em álcool, qualquer tipo de bebida, e desencarnei, o meu corpo espiritual está aqui, mas o corpo físico está se decompondo. Sendo assim, eu vou me aproximar de seres que bebem, porque eu preciso sugar as impressões vitais para voltar a ter aquela sensação que eu tinha quando era vivo.

O meu corpo se foi, mas eu continuo vivo em espírito. No entanto, se eu não tenho um corpo físico do mundo terreno, eu não consigo conviver aqui. Para isso, eu preciso ficar próximo de quem tem um corpo físico. É aí que ocorre a obsessão.

Porém, a obsessão respeita as leis de causa e efeito, as leis universais de sintonia e de ressonância. Em outras palavras, é você que abre as portas para o obsessor entrar na sua vida. É o seu próprio vício que traz o viciado. É o seu próprio vício em álcool, pão, sexo, jogo ou reclamação, mau humor, depressão ou a emoção que for que vai atrair espíritos de mesmo padrão.

Eu trabalhei mais de 15 anos em consultório, com grupos de pessoas com problemas espirituais, e 99% delas colocam a culpa no obsessor. Eu falo isso com todo o respeito, porque eu não estou aqui para lhe dar bronca, mas para trazer esclarecimentos.

Não dá para colocar a culpa no obsessor. Se você está sendo influenciado por espíritos, a culpa é sua. Quantos espíritos não conseguem ir embora porque se sentem magnetizados por você ou quem quer que seja, porque estão na mesma vibração.

Mude a sua vibração, as suas atitudes, inclua mais gratidão, amor, altruísmo, comece a fazer alguma coisa por você, mas pare de ficar olhando apenas para o seu próprio umbigo. Saia daquela rotina louca de trabalhar, ir para casa, assistir televisão, fazer o que tem de fazer, voltar a trabalhar, e não fazer nada nem por você, nem pelo outro.

Comece a arejar a sua mente com um conteúdo mais espiritual, com propósito de vida, pensando em quem você é, para onde você vai, o que você está fazendo aqui, comece a estender mais a mão para outras pessoas, pare de reclamar da vida, saia do comodismo, de fazer tudo igual, tudo certinho, direitinho e não ajudar Deus na obra maior.

Assim, os obsessores vão embora de você. Esses espíritos estão aqui na Terra quase sempre por estarem presos a emoções mundanas, que estão jorrando por aí. Se você em vida sai dessas emoções mundanas, porque decide por uma vida diferente, esses espíritos não vão querer ficar perto de você, porque você está em outra vibração. Esse é o ponto! Esse é o segredo! É isso!

Talvez você queira uma receita melhor. Eu não posso mentir para você, eu tenho um compromisso com a verdade. E isso não é só para você, mas principalmente para mim. É a minha missão de vida.

Um dos motivos pelos quais eu escrevo os meus livros, faço os meus cursos e palestras e preparo conteúdos junto com a Patrícia Cândido – viemos há mais de 15 anos levando a missão do Luz da Serra – é o de ajudar as pessoas a encontrarem um caminho de luz.

O motivo é simples e objetivo: auxiliar, inclusive, você a arejar a sua mente com vibrações elevadas, com consciência sobre você mesmo e a sua missão de vida, para que você possa se tornar uma pessoa diferente. É só assim que você vai poder, de forma efetiva, produzir a verdadeira assepsia espiritual, ou seja, a desconexão com os espíritos de sombra.

20. Vem cá, você tem alma gêmea?

— Você é a minha alma gêmea!

— Nossa, eles são almas gêmeas!

E esse treco existe mesmo?

É engraçado que ninguém fala: – A minha ex-mulher é minha ex-alma gêmea.

Ninguém nunca fala isso. Quando os casais se juntam, são almas gêmeas. Mas aí, se eles se separam e tem de pagar pensão, acaba virando a pensão gêmea, é isso mesmo?

Por que eu estou falando assim? Olha, eu adoro tirar onda, gosto muito de dar risada. Eu acredito que é melhor você receber uma notícia ruim sorrindo, do que ficar com a cara amarrada por aí.

Se a pessoa está com a cara fechada, atrai situações que vão fazer com que a cara dela fique cada vez mais assim. A coisa fica complicada depois. Então, o que podemos fazer é melhorar a nossa cara e a nossa vibração para atrairmos coisas melhores!

Quando eu era moleque, lá em Salto, no interior de São Paulo, o meu pai plantou uma jabuticabeira e disse: – Caramba esta árvore vai demorar mais de 20 anos para dar fruta.

Eu não sabia que essa espécie demoraria tanto para dar frutos e fiquei impressionado na época. De vez em quando, eu me lembrava daquela história, do meu pai plantando uma árvore lá na chácara da minha família.

Só que agora, aos 39 anos, aquela jabuticabeira está produzindo muitos frutos. É incrível ver aquela árvore cheia de frutinhas. E todas aquelas jabuticabas são almas gêmeas, porque elas vêm da mesma espécie, da mesma Fonte, da mesma forma, ou seja, de um mesmo princípio universal.

No conceito romântico egocêntrico, todo mundo fala: – Ah, ele é a minha alma gêmea! Ah, ele é a minha cara metade.

Isso é coisa do ego!

Saiba que há várias pessoas com muita afinidade por aí. Genericamente todos nós somos almas gêmeas uns dos outros, porque nós viemos de uma mesma Fonte. As almas gêmeas nada mais são do que almas afins. Essas almas podem vir juntas por um período, para a realização de um projeto, por exemplo.

Alma gêmea não precisa ser marido e esposa. Necessariamente não precisa existir um relacionamento romântico! Isso é ilusão, é conto da carochinha, coisa para vender produto cosmético no dia dos namorados. Dá um tempo!

Você e o seu inimigo podem ser almas gêmeas se tiverem determinadas afinidades, assim como você e o seu filho, a sua esposa ou um grande amigo.

Essa visão de alma Gêmea pode existir por um tempo determinado, o que vai depender do ciclo que essas pessoas estão vivendo.

Antigamente éramos um Todo, que decidiu se dividir para gerar uma experiência para cada um de nós. Esse processo de individualização fez com que cada um experimentasse os seus próprios caminhos, mas em essência viemos da mesma Fonte. Sendo assim, já somos almas gêmeas uns dos outros.

Com o tempo essas divisões aconteceram de diversas formas. Existe a visão de mônada, uma extensão de alma. Nesse conceito, as pessoas vêm de almas com extensões parecidas. Há uma similaridade muito grande, mas nem tudo é motivo para dizer que somos almas gêmeas.

Existe um grau de afinidade, caso você seja do mesmo grupo espiritual de outra pessoa, como dizia Joshua Davi Stone. Esse autor escreveu muito sobre isso, só que ele já desencarnou e os livros dele estão quase esgotados.

No conceito de mônada, você faz parte de uma vertente que se dissolve em almas, que, por sua vez, dividem-se em extensões de alma.

Se você, por ventura, faz parte de uma extensão de alma e outra pessoa também faz parte dessa extensão de alma, há uma afinidade imensa entre vocês. Essa semelhança é tão grande que faz com que vocês se sintam almas gêmeas – como todos falam por aí. Fazendo uma analogia com a história da jabuticabeira, podemos dizer que vocês vieram da mesma árvore.

Resumindo, todos nós somos filhos do mesmo Pai, somos gêmeos porque saímos da mesma Fonte e nos dividimos. É preciso ter parcimônia e equilíbrio com esse assunto. Você olhou uma pessoa e já acha que ela é a sua alma gêmea? Pode ser que seja, pode ser que não, mas isso não faz diferença nenhuma.

Se você tem um resgate com essa pessoa, não importa se ela é gêmea ou não. Se você tem de viver uma experiência com aquela pessoa, se você tem um aprendizado com ela, não interessa se é alma gêmea ou não.

Agora, pode ser que você tenha uma alma gêmea ao seu lado, um filho, um primo, um irmão, um colega. Não significa necessariamente que você vai se casar com esse homem. Pelo amor de Deus!

Pode ser um grande amigo, um grande parceiro, um grande vizinho, um grande colega de trabalho, e é a mesma coisa com as mulheres e os homens. Portanto, é preciso desmistificar essa expressão muitas vezes mal empregada.

A verdade é que não faz diferença nenhuma!

É a mesma coisa com relação a vidas passadas. Eu estudo muito esse tema, eu fiz mais de três mil regressões em consultantes, dei aula para mais de 25 mil alunos, além de formar terapeutas na Psicoterapia Reencarnacionista. E não importa o que você foi na vida passada em essência, o que importa é o que você quer fazer agora nesta encarnação.

O que eu já vi de consultantes falando: – Ah, ele é a minha alma gêmea, eu vou me casar!

Eu sempre dizia: – Mas, calma! Em primeiro lugar, se conheçam verdadeiramente. Entendam-se, respeitem-se primeiro.

E escutava muito essa resposta em meu consultório: – Não, eu vou me casar. Ele é minha alma gêmea!

Muitas pessoas não vão gostar do que estou falando aqui, pois adoram criar e viver na ilusão de estarem com suas almas gêmeas. Eu acho que é uma informação que não faz diferença nenhuma, mas, se você acredita, está tudo bem. Você pode ficar com a sua ilusão.

Eu tenho várias almas gêmeas em minha vida, alguns eu não vejo há cinco anos, outros eu não encontro há dez anos. Será que são, será que não são? Faz diferença? Elas apenas são pessoas que possuem um nível de afinidade maior.

Então, desmistifique esse mistério da alma. As almas gêmeas existem, sim. Mas, pelo amor de Deus, não podemos ficar obcecados por isso. Se você percebe grandes afinidades com determinadas pessoas, faz diferença você falar: – Ele é a minha alma gêmea? Não, isso serve apenas para o seu ego.

21. Espiritualidade dos Animais

Você gosta de animais?

— Ohhh, como eu gosto!

— Eu amo demais os bichinhos de estimação!

As pessoas gostam muito de animais mesmo. E este é um assunto muitíssimo solicitado, o top 1 de todos: a espiritualidade dos animais!

Eu amo os animais e acredito que você também os ame, de uma maneira ou de outra. Algumas pessoas não gostam muito de gato, outras não gostam tanto de cachorro. Há ainda as que não curtem jacaré, não gostam de leão ou sentem antipatia pelo rinoceronte. Outras têm medo de cobra cascavel, não gostam de não sei o quê...

Mas via de regra todos nós gostamos de algum bichinho, não é? Nós gostamos dos animais como um todo! Na infância, os animais entram na nossa vida como um elemento de amorosidade, de carinho, de afetividade. Hoje em dia, eles estão cada vez mais presentes na nossa vida.

E o que os animais significam na nossa experiência humana?

Os animais são seres que entraram na nossa existência para, de certa forma, nos ajudarem a amolecer os nossos corações.

Eu aposto que você conhece alguma pessoa, principalmente homem – algumas mulheres também – de cara amarrada, sempre fechadas, peidopáticas... Eu já falei sobre pessoas peidopáticas em um dos nossos vídeos do Espiritualidade na Prática. Se você não viu ainda, acesse o bônus on-line do livro (*luzdaserra.com.br/misterios*) para descobrir o que é peidopatia.

Então, essa pessoa de cara amarrada começa a se afeiçoar por um animal de estimação que sem querer apareceu na casa dela, do neto ou do filho. No início, ela até pode rejeitar aquele bichinho, mas, depois de um tempo, ele vira o melhor amigo dela.

Os animais têm a capacidade de flexibilizar as cascas do nosso ego, do nosso egoísmo, do nosso medo. O efeito que o animal de estimação faz no emocional das pessoas é, às vezes, maior do que o resultado gerado por uma criança.

É tão profundo, tão poderoso!

Nos Estados Unidos, uma das profissões em que há mais suicídio é a do médico veterinário. O motivo é que a pressão é muito grande sobre as clínicas veterinárias, maior do que sobre as UTIs.

Vemos que há mais pressão para cuidar de animais do que de seres humanos, se é que você me entende. Está acontecendo um fenômeno mundial em que as pessoas ficam muito mais tristes, acabadas e destruídas emocionalmente quando morre um cachorrinho ou um gatinho do que quando parte um ente querido.

Quando morre um parente, muitas pessoas choram por dois ou três dias e passou. Mas, se morre o bichinho de estimação, muitos caem em depressão, pois não estão preparados para lidar com a perda e o choque emocional.

Do mesmo jeito que eles trabalham tornando menos rígidas as nossas emoções, amolecendo o nosso coração, os animais de estimação também atuam na projeção do nosso ego.

Em outras palavras, você se projeta no seu bichinho, já que ele não pode falar e lhe responder. Ao colocar todas as suas expectativas em seu animal de estimação, ele acaba se tornando um filho. Na minha casa, os meus gatos são meus filhos.

Hoje, os animais estão no topo das questões. Você não empresta 100 reais para aquele seu cunhado mala, mas gasta 2 mil reais para recuperar um cachorro sarnento que mora com você.

Quando falo cachorro sarnento que mora com você, mulheres, eu me refiro ao cachorro, aquele de quatro patas, está bem? Vocês entenderam, não é? Está bem, eu me referi ao animal mesmo.

O que acontece é que nós somos "mão-aberta" para investir dinheiro na recuperação do bichinho, mas não damos 50 reais para ajudar em uma causa de outra pessoa.

E o que é isso, uma inversão de valores? Não, isso é uma demonstração do nosso ego, porque nós projetamos em nossos *pets* todos os nossos anseios, carências, preocupações, alegrias e sonhos.

Eles acabam sendo a materialização das nossas emoções, tornando-se a manifestação de tudo o que nós somos.

E a espiritualidade dos animais? Como funciona o sistema energético dos bichos?

Em primeiro lugar, não podemos dizer quem é mais evoluído, se é o homem ou o animal. Pelo amor de Deus!

Ah, é o homem? Está bom.

No nosso planeta, há os reinos animal, o vegetal e o mineral. Se o reino mineral fosse retirado do mundo, o que aconteceria com os demais reinos? Não haveria mais terra, nem água. Acabaríamos, pois ninguém conseguiria sobreviver sob essas condições.

Você consegue imaginar o mundo sem o reino vegetal? Os homens e os animais morreriam, mas o reino mineral aguentaria sem os vegetais. E agora, o que aconteceria se não existissem os animais? Ah, o homem não sobreviveria, até porque grande parte da nossa população é carnívora, além de possuir outras necessidades com relação aos animais.

Já se os homens saíssem da face da Terra, o que aconteceria aos reinos mineral, vegetal e animal? Eles sofreriam? Qual seria o único reino que, se sumisse do mundo, faria um bem, ajudaria os outros? Sendo assim, quem é mais evoluído nesse contexto?

É claro que nós ajudamos a Terra, no meio desses reinos, mas só quero que você reflita. Algum professor de biologia poderia me falar: – Não é assim, porque os homens são isso e aquilo. Está bem, mas essa é a minha filosofia, aquilo em que eu acredito. Você tem todo o direito de questionar e não acreditar.

É um debate, mas não há como falar que o homem é mais evoluído ou vice-versa. O sistema de vida dos homens e dos animais é diferente, mas estamos interagindo, da mesma maneira como nos relacionamos com os reinos mineral e vegetal.

Portanto, a espiritualidade dos homens e dos animais acontece de maneiras diferentes. Por exemplo, o animal não conversa, mas possui um espírito. Sim, os animais têm alma.

– Bruno, se o animal morre, o que acontece com o corpo dele? A mesma coisa, ele se decompõe, mas o espírito vai para outro lugar.

– No plano espiritual existem animais? Sim, a mesma coisa.

– Bruno, é possível a pessoa morrer como um cachorro e reencarnar gente? Por tudo o que eu estudei e vi do lado de lá da vida física, é muito difícil. Se você tiver uma teoria sobre isso, você é quem sabe, ok? Eu nunca vi isso. Então, animal volta como um animal.

Segundo Charles Leadbeater, os animais têm uma alma grupo. No livro A Vida Interna, ele explica o processo de reencarne dos animais. Quando retornam, voltam como são.

Trata-se da síntese da evolução de todos os animais daquela raça. Não é a mesma alma, mas esse autor chama de alma grupo. A alma daquele cachorro, por exemplo, sai do corpinho e, quando volta, a alma faz parte de uma consciência de grupo. Essa é a teoria de Leadbeater. Eu não sei dizer se é certo ou errado, mas o fato é que os animais possuem alma, energia, enfim.

Os bichinhos não escutam a nossa voz, mas identificam a energia que estamos aplicando quando o chamamos pelo nome. Eles também sabem se estamos bravos ou felizes, e se comunicam só pelo campo de energia.

Nós também nos comunicamos pelos aromas. Quer um exemplo? Senta em um lugar que está fedendo. Você fala: – Ui, que cheiro ruim. Já se entra em um local com cheiro de comida delicioso, já diz: – Hummm, meu Deus, que delícia! A nossa comunicação olfativa é muito forte.

Para os animais, além do olfato ser multiplicado, eles sentem o que está acontecendo. Os sentidos deles são muito aguçados. Os bebês também sentem, mas vão perdendo essa sensibilidade à medida que crescem.

Os animais sentem tudo o que você sente, seja raiva, seja medo, seja preocupação. Você nem sabe que está agitado, mas o seu animalzinho sente. Você toma um porre ou fez alguma coisa ruim? Ele sente.

A nossa via de comunicação com os animais é por meio do pensar e do sentir. É uma espécie de telepatia? Sim, por isso que todo cuidador de cão que se dá bem é aquele cara assertivo....

Conforme César Millan, do programa Encantador de Cães, quando você é assertivo, confiante e não expressa medo, o animal de estimação lhe respeita. Se há insegurança ou apego, o bichinho toma conta desse campo de energia.

A espiritualidade dos animais ocorre de maneira sutil. Eles percebem tudo, as emoções, os pensamentos e os sentimentos. Por exemplo, se entrou na sua casa uma pessoa cheia de inveja, de mágoa ou de tristeza, o seu animal de estimação percebe essa energia que ficou lá.

Passarinho, periquito, papagaio, cachorro, cobra, galinha, pato, coelho, porco, enfim, cada um do seu jeito, todos eles sentem esse campo de energia. Os animais têm a tendência de absorver e reagir a essas vibrações, porque para eles o que manda é a energia e não as coisas físicas.

Então, é comum vermos um cachorro latindo para um canto ou um gato ficar arrepiado sem nenhum motivo aparente. Também é frequente percebermos que os *pets* gostam de se deitar em determinados pontos da casa, porque eles se guiam por uma bússola interna que é orientada por sintonia ou percepções extrassensoriais.

Os bichos não só percebem o campo de energia do ambiente, mas são influenciados. Eles podem se irritarem ou se acalmarem de acordo com as vibrações predominantes do lugar onde vivem.

Por isso, se você quiser melhorar a vida dos seus animais de estimação, eu ensino muito na Fitoenergética a fazer um tratamento primeiro para o morador, depois para o ambiente. Isto é, a casa e a pessoa que está mais em contato com o bichinho precisam ser tratados primeiramente. Saiba mais acessando o bônus deste livro.

Os animais, além de termômetros das pessoas e dos ambientes, captam e sinalizam a presença de espíritos, energias contrárias e inclusive a emissão a distância de pessoas que estão falando mal ou bravas com você.

Preste atenção aos seus bichinhos, eles também se aproximam ou se distanciam de acordo com a sua energia. Eles estão muito em contato com a quarta dimensão, aquela que você não pode tocar, medir ou quantificar. Trata-se do extrafísico, onde pensamento, emoção e sentimento tem forma, cujas vibrações eles podem captar. Sem falar uma palavra, tente se concentrar no seu animal de estimação, observe a linguagem corporal dele. Há uma mensagem em tudo, há uma percepção e uma reação ao ambiente e ao cuidador.

Os animais, por serem sensíveis aos fenômenos psíquicos e mediúnicos, são nossos cuidadores também. O gato que se deita em cima da sua barriga, em um ponto onde você está com dor, o cachorro que lambe no lugar onde você está machucado, o gato que se aproxima de uma pessoa que está com algum problema.

Você vê isso acontecer nos lugares mais diversos possíveis, porque eles são tratadores de ambiente. O cachorro tem a capacidade de absorver, ele puxa do dono e traz para si. Já o gato é diferente. Por acumular uma grande quantidade de *chi* ou de prana, ele ajuda a transmutar a energia do lugar. Um não é melhor do que o outro, eles apenas vibram de formas diferentes.

Quero lhe fazer um convite, mergulhe em uma sensibilidade totalmente diferente, com respeito, mas, sobretudo, com assertividade aos seus bichinhos de estimação. Não deixe os seus *pets* lhe dominarem, use a assertividade, a segurança e o equilíbrio.

22. O que acontece com o espírito na Cremação?

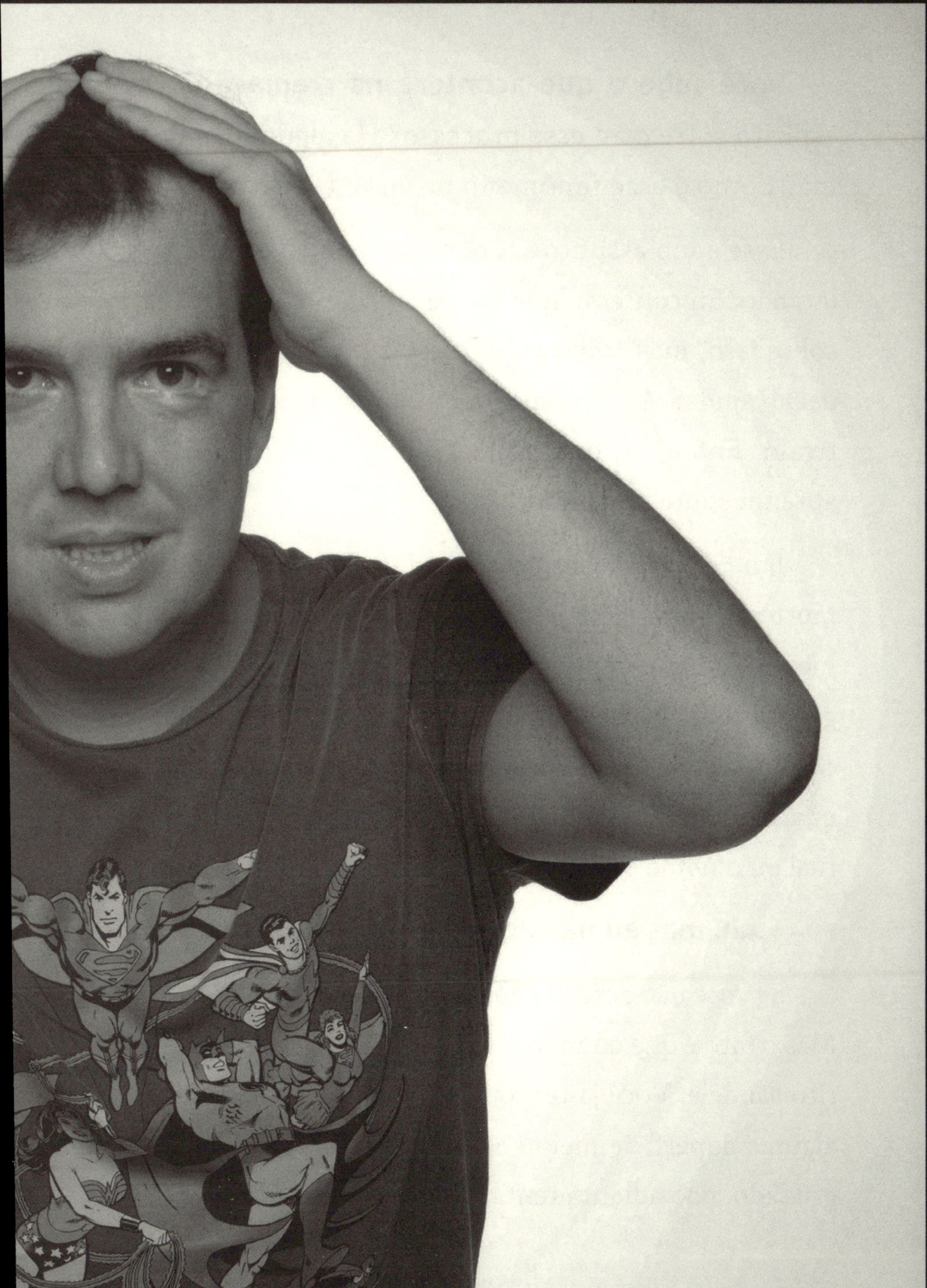

Você sabe o que acontece na cremação? O espírito sofre com esse processo? Há algum problema? Como é esse fenômeno na visão espiritual?

Esse é um assunto sobre o qual eu não queria falar, não. Eu confesso que não estava afim de escrever sobre isso, mas como eu vi muitas pessoas pedindo, decidi ajudar. A sua resposta e a sua mudança me motivam. Então, eu quero lhe explicar agora o que eu aprendi sobre cremação.

Em uma visão espiritualista, sabemos que há a morte do corpo físico, mas que o corpo espiritual não morre jamais. Quando o corpo padece, o espírito se regenera para poder continuar o seu processo de evolução. Ele é sintonizado com uma frequência espiritual, a qual conhecemos como plano espiritual, mundo espiritual ou o nome que você quiser dar.

— Ah, mas eu não acredito em nada disso.

Se você não acredita em nada disso, está tudo bem. Mas o fato é que quando o seu corpo morre, o seu espírito sai dele. Você já tentou colar uma fita adesiva em alguma superfície meio engordurada? Aquilo não fica grudado, não adianta tentar colar.

O corpo físico tem um prazo de validade, que está associado ao grau de magnetismo do corpo espiritual ao nosso fio de prata, ou seja, o nosso "link" com os nossos corpos físico e espiritual.

Existe uma combinação para definir a hora em que um larga do outro, que é o que nós chamamos de morte. Ela pode ser causada de forma natural, se a pessoa viveu bem a vida dela e não foi um suicida inconsciente, como dizem os espíritas.

Suicida inconsciente é aquele que fuma, bebe, pratica esportes radicais ou abusa da sorte. De certa forma, há o entendimento que essa pessoa queria morrer, pois acabou provocando a sua morte com atitudes arriscadas.

Uma alimentação errada também faz de nós suicidas inconscientes em maior ou menor grau, você sabia? E por aí vai. Já algumas pessoas vão dizer que suicídio inconsciente é torcer para o Corinthians. Não fala isso, não fala assim. Tudo bem, vamos em frente!

O momento da morte é como o instante em que a folha cai do pé sem que você a puxe ou quando a fruta está madura e você não precisa fazer força para colhê-la.

A saída espiritual do corpo físico pode ocorrer por um acidente, um assalto, uma doença terminal de última hora ou um estilo de vida em que a pessoa tratou mal o seu corpo. Contudo, a maioria não sai levemente do corpo físico.

As pessoas que morrem enquanto dormem têm uma morte tranquila. Quase sempre o magnetismo do corpo espiritual para o corpo físico delas se soltou, o que quer dizer que estava na hora, que essa pessoa estava madura para morrer e continuar a sua evolução.

E onde entra toda essa enrolação minha? Alguns acham que eu estou embromando, mas que nada, estou tentando explicar do melhor jeito.

Afinal, onde entra a cremação nisso tudo?

Imagine o fato de alguém ser cremado mesmo com seu corpo espiritual preso ao corpo físico. O espírito sentiria a sensação de ser cremado, ainda que o fogo estivesse na atmosfera física e não no plano espiritual?

Pode cremar ou não pode? Vai acontecer alguma coisa, há algum problema?

Essas são perguntas que muitas pessoas fazem. Eu já li muito sobre isso e uma das obras de que eu mais gosto é a do espírito Ramatis pela mediunidade de Hercílio Maes (Editora do Conhecimento). Estou aqui dividindo os segredos das minhas fontes com você. Eu já li quase todos os livros dele, faltam dois ou três para completar a obra.

Segundo Ramatis, realmente quando alguém teve a sua passagem de forma abrupta e acelerada, ainda pode sentir as impressões de estar preso ao caixão. Depois da morte, o espírito pode ficar muito próximo ao corpo. Dependendo das orações dos familiares e do grau de evolução desse ser, ele pode ficar colado ao corpo e perceber as sensações de ser cremado.

Eu trabalhei muito tempo com a regressão e escutava os consultantes dizendo:

— **Nossa, estou morto aqui.**

— **Eu estou no caixão, mas eu não morri.**

— **Mas me puseram aqui dentro por quê?**

E não é que essas pessoas tinham morrido mesmo? Como estavam associadas ao físico e presas conscientemente ao corpo, tinham a impressão de que continuavam vivas dentro do caixão. O que não era verdade. O corpo estava morto, mas a consciência continuava igual.

Mas esse medo que alguns têm de cremação é desnecessário? Não são iguais as sensações de pânico que podem ocorrer, tanto para quem se sente preso ao caixão quanto para quem vê o seu corpo físico sendo queimado?

Essas percepções acontecem em espíritos que estão muito presos à matéria, que estão muito densificados e tem muito para resolver. A família também é responsável por aquele ente que morreu. É muito importante mandar uma vibração de luz e sair daquela atmosfera de: – Ai, o que ele fez, não é justo.

É preciso mandar luz para quem já partiu, e colocar-se acima das dores e dos medos. A nossa sociedade não está pronta para lidar com a morte de parentes e amigos, porque acabamos nos debruçando em sofrimento, e não percebemos que a nossa dor prejudica aquele ser que morreu. É exatamente isso que pode ajudar a pessoa a ficar presa ao corpo físico.

Ramatis também explica em sua obra que, quando a pessoa tem merecimento, técnicos do astral, espíritos especialistas, aplicam uma espécie de anestesia tirando o contato dela com o corpo físico no momento da cremação ou do enterro.

Já se o falecido não tiver merecimento pode sofrer com as sensações corpóreas de ficar apodrecendo ou de estar preso a um caixão. O que determina é a leveza e a sutileza da alma dele.

Portanto, não há problema em ser cremado. Se você é uma pessoa que fez o mal, depois que desencarnar, vai sofrer pensando que está preso dentro do caixão ou em uma fornalha. O sofrimento ocorre de acordo com o seu aprendizado.

Já se você está se espiritualizando, vai ter amparo e ajuda em qualquer acontecimento como esse. Assim como temos acesso ao hospital aqui, há pessoas que demoram para ser atendidas, algumas são muito bem atendidas, possuem um plano de saúde da melhor qualidade, outras são mal atendidas... É a mesma coisa.

Quando desencarnamos há um grupo de seres que nos ajudam a fazer esse processo de transição. Nós somos anestesiados quando precisamos sair da impressão do corpo físico, mas muitos nem precisam, já se veem morrendo.

Se você não quer ficar preso ao caixão quando morrer, compartilhe esse conhecimento com o seu vizinho, o tio, o primo...

Já sei que muitas pessoas vão me falar:

— Meu Deus do céu! Bruno, para de falar nisso.

O problema é que as pessoas só pensam na morte quando ela está próxima de chegar ou quando já aconteceu com um ente querido.

Se você não acredita no que eu falei, simplesmente deixe para lá e faça algo melhor. Eu não acredito em várias coisas, inclusive há alguns escritores e *youtubers* dos quais eu não gosto. Quando não gosto do que eles falaram, eu vou embora e tudo bem. Estamos juntos.

Aqui no Mistérios da Alma, assim como na websérie Espiritualidade na Prática, ajudamos você a viver o seu melhor, a entender quem você é, de onde veio, para onde vai e de que forma pode transformar a sua vida.

Você não tem mais desculpas para dizer que não tem como mudar a sua existência, porque há conteúdo disponível, inclusive gratuitamente na internet. Eu acho que é vergonhoso reclamar da vida. Puxa, antes de reclamar, veja o quanto você já melhorou, o quanto você já fez!

Caramba, leia mais, assista aos meus outros vídeos, separe uns cinco por dia. Vamos ver se você não muda a sua maneira de viver. Dê uma olhada nos comentários das pessoas lá no YouTube também. Veja como esses conteúdos estão enriquecendo a consciência e a energia de cada uma delas.

Se viver bem o seu "eu" aqui, quando for embora, você vai ser a mesma coisa que você é. Eu espero que, quando eu passar para o outro lado, Deus me dê bastante trabalho, porque esse negócio de "descanse em paz" é ilusão que inventaram para você.

ESPIRITUALIDADE NA PRÁTICA: AGORA É COM VOCÊ

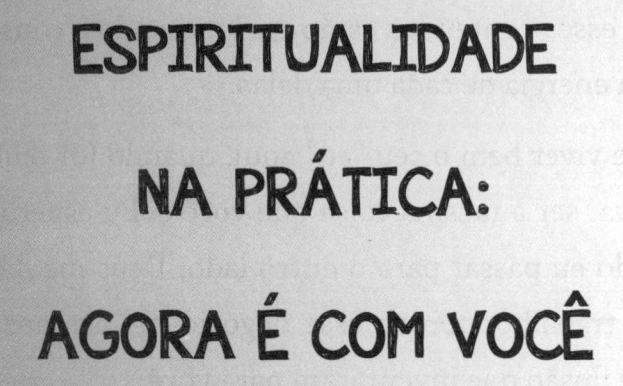

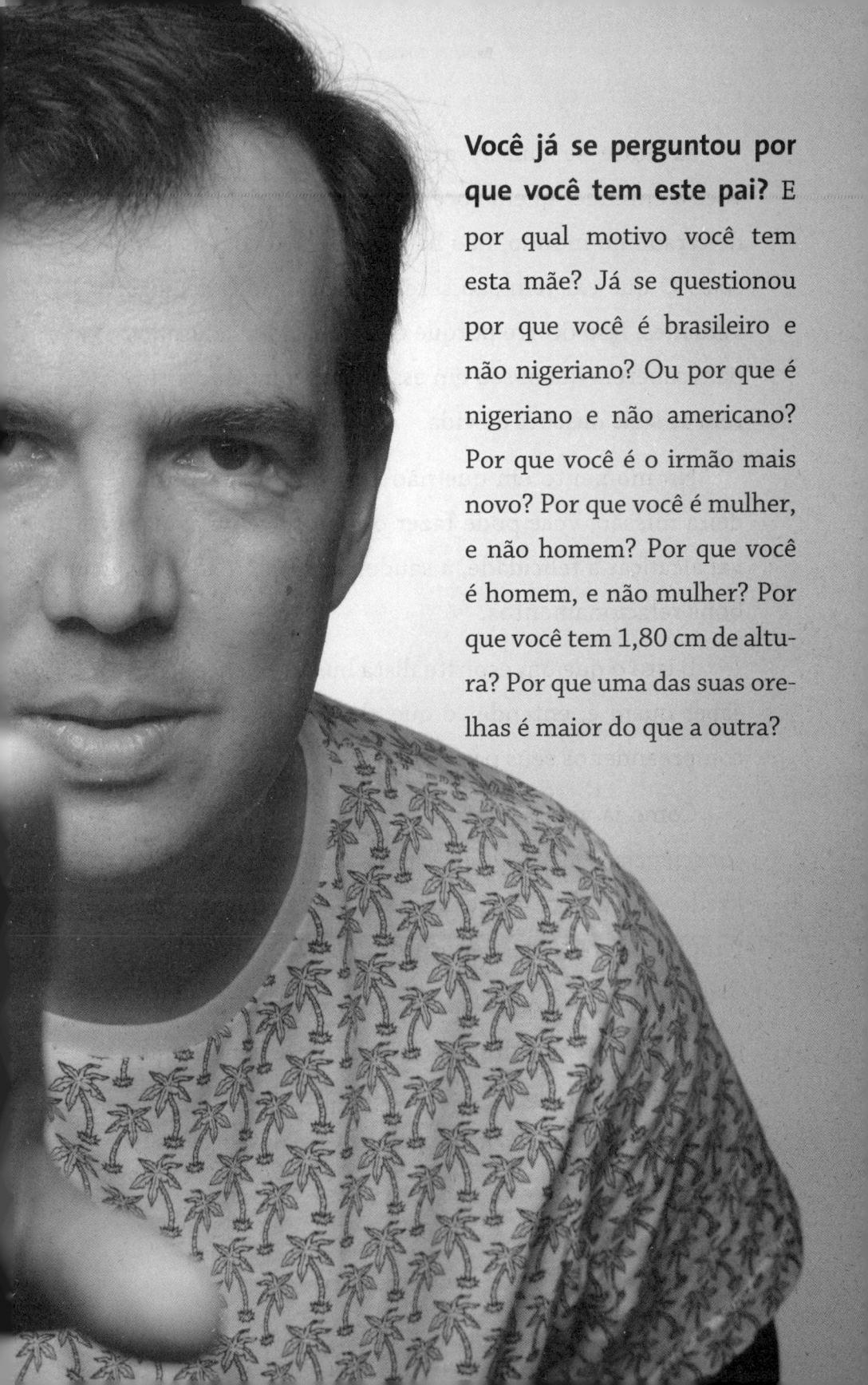

Você já se perguntou por que você tem este pai? E por qual motivo você tem esta mãe? Já se questionou por que você é brasileiro e não nigeriano? Ou por que é nigeriano e não americano? Por que você é o irmão mais novo? Por que você é mulher, e não homem? Por que você é homem, e não mulher? Por que você tem 1,80 cm de altura? Por que uma das suas orelhas é maior do que a outra?

Acredite se quiser, mas a espiritualidade ajuda você a entender quem você é. Sobretudo, não há nada de errado no mundo, não há nada de mal com as pessoas. O que existem são seres desencaixados de suas verdades. Isso ocorre porque eles não foram educados para saberem quem são em essência e como encontrarem as suas missões de vida.

No momento em que não encontra a sua verdadeira missão, você pode fazer o impossível, mas não vai alcançar a felicidade, a saúde, a prosperidade e os bons relacionamentos.

É isto o que um espiritualista busca: se encontrar, saber quem é, entender o que ele está fazendo aqui, compreender os seus papéis na vida.

Como já vimos, a espiritualidade é um estado de consciência. Você pode ir à igreja e não ser espiritualizado, como você também pode não frequentar um templo religioso, mas ser espiritualizado.

A tendência é que você vá a um templo, a uma igreja, participe de um ritual, seja qual for, e consiga melhorar o seu estado de espiritualidade, mas isso não é uma condição *sine qua non* para que você desperte a sua consciência.

Agora, eu estou aqui para trazer cada vez mais dicas que ajudem você a viver a sua espiritualidade de uma forma livre e leve. Para mim, a melhor religião é do coração e a melhor filosofia é fazer o bem. Qualquer religião que ajude você a ser uma pessoa melhor é válida.

Já qualquer crença que inflame o seu ego, que cause brigas e desavenças não está melhorando o seu estado espiritual. Se essa religião não traz a evolução do seu estado de consciência, ela não serve para você.

Portanto, eu escolhi o caminho de não ter uma religião, e sim desenvolver a espiritualidade. Contudo, se você tem a sua religião e isso está lhe fazendo bem, está tudo certo. Agora entenda também que religião não é uma condição única para você desenvolver o seu "eu", a sua essência.

A própria Bíblia diz: "Na casa de meu pai há muitas moradas". Então, eu interpretei assim, como você pode compreender do jeito que você quiser.

Você pode acessar o Pai, o Cristo, a Força Cósmica de várias maneiras. Uma coisa é certa, quando as correntes de egoísmo, vaidade, arrogância e intolerância se dissolvem, o amor prevalece e essa egrégora é que se faz.

É isso o que eu busco, mas nem sempre consigo. Eu sou corinthiano e cometo muitos erros, não sou mestre de nada. Sou apenas um ser humano que procura trazer para você o que funciona para mim. Não é nada de teoria vaga, hein?!

Eu dou aula há mais de 15 anos, e eu quero levar para você aquilo que vai transformar realmente a sua vida. É exatamente o que acontece quando você desliga o vídeo ou fecha o livro. Trata-se da sua prática, quando você faz e funciona, porque eu não trago especulações. Depois de tanto conteúdo, agora é com você!

VOCÊ DÁ TRABALHO PARA DEUS?

Quando Deus nos olha lá de cima, Ele pensa: – Esse é útil, aquele é inútil, esse me dá trabalho, aquele me ajuda. Ihhhh, esse aqui não fede e não cheira...

A pergunta que eu faço para você agora é: Você dá trabalho para Deus? Você ajuda Deus a trabalhar ou você não fede e não cheira? Pelo amor de Deus!

Se você não sabe, a minha missão aqui é ajudar você a ajudar Deus. Sim...

– Bruno, você é um arrogante, você é isso ou aquilo...

Ahhhh, fique à vontade para falar o que você quiser. Às vezes, nós precisamos ter confiança naquilo que nós fazemos e sentimos... Certo?

Antigamente eu era sozinho, depois éramos eu e a Patrícia Cândido, minha amiga e sócia. Hoje nós somos uma história, uma empresa, uma instituição. Além disso, nós fazemos parte de uma comunidade sintonizada com um propósito maior.

Só de YouTube são quase 1 milhão de acessos por mês, mais os sites, são 2 milhões de acessos mensais. Além dos 1500 membros da plataforma Iniciados, a nossa família on-line de transformação pessoal.

São milhares e milhares de alunos, esse número já passou dos 30 mil. Os nossos livros já chegaram a mais de 60 mil exemplares vendidos, tenho mais de 15 livros escritos, além de muitos cursos e palestras nesse segmento.

Olha, pode até ser que eu esteja errando, mas a maioria das pessoas tem conseguido ver que há uma possibilidade. Então, o meu trabalho e a minha missão aqui, sem medo de ser arrogante, ou melhor, sem medo de ser confiante, é ajudar você a evoluir.

Pode ser que daqui a uns cinco anos eu fale com os meus botões: – Nossa, Bruno, que arrogância!

É um risco que você tem de correr, como eu estou correndo, porque eu prefiro me arriscar sendo arrogante do que negligente.

Dentro desse contexto, nós estamos aqui para ajudar, eu e a Patrícia Cândido, dos Grandes Mestres da Humanidade e do Código da Alma. Você já assistiu a série de vídeos da Semana do Mestre? E a do Código da Alma? Se ainda não assistiu, você não sabe o que está perdendo.

Lá você também vai ter muitas ferramentas para a sua evolução espiritual. A Patrícia fala do bem, da energia, e não dá muito "apertada" em vocês. Eu sou um pouco diferente. A Patrícia tem o jeito dela, e eu tenho o meu. Então, se você me segue sabe que eu dou "chapuletada" mesmo.

Por que?

Porque eu acredito no ser humano, eu acredito em você, eu acredito que você pode fazer a diferença. Eu estou aqui para ajudar você a ser da classe dos que ajudam Deus. Não quero ajudar a manter você na classe dos que não fedem e não cheiram muito menos daqueles que dão trabalho para Deus. Nesse momento, você sabe se dá trabalho para Deus?

Algumas pessoas me perguntaram: **— Mas, Bruno, qual foi o seu objetivo com o programa Espiritualidade na Prática?**

Levar consciência para você! Para que você ajude Deus nesta obra, que é ser feliz, prosperar, ajudar outras pessoas, estar aberto para o mundo de um jeito diferente... Se você está me conhecendo agora, acesse o bônus deste livro, leia as minhas outras obras, veja os meus vídeos no YouTube. Há muita dica para você!

Desde mil novecentos e guaraná com rolha, eu desenvolvo a espiritualidade em um contexto leve, livre e universalista. Eu sou espiritualista, escritor, professor, palestrante e empresário. Antigamente fazíamos isso viajando por várias cidades, em vários estados, de carro, eu e a Patrícia Cândido.

Nós ensinamos espiritualidade universalista para que você desenvolva os seus potenciais maiores. Acima de tudo, com o objetivo de que você saiba qual é a sua missão de vida, que você entenda quem é você e quais são os seus papéis nesta existência – isso é espiritualidade para nós.

QUAL É A SUA MISSÃO DE VIDA?

Você já parou para pensar sobre isso? Você sabe o que veio fazer nesta existência? Ah, certamente um dia você já ficou olhando para cima, vendo as nuvens, a natureza, e pensou: – Quem sou eu no meio de tudo isso?

Se você não fez essa pergunta ainda, se não questionou quem é você, de onde você vem, o que você está fazendo aqui e se a vida é tudo isso mesmo, em algum momento você vai fazer.

E no instante em que nós vamos atrás da nossa missão, da nossa essência, precisamos nos entender, buscar conhecimento sobre as leis naturais, sobre quem somos nós no contexto maior do Criador. Obviamente que toda a resposta que encontramos é uma pequena parte de toda a verdade.

O fato é que essa grande verdade se transforma à medida que a sua verdade diária se transforma. O que eu quero dizer é que a sua consciência muda. Se você ler o mesmo livro duas vezes, não será a mesma coisa, porque você já é outra pessoa.

A espiritualidade ajuda você a entender a sua família, os seus filhos, o seu trabalho, as suas tristezas, as suas alegrias, auxilia você a ter satisfação pela vida e a ser quem você nasceu para ser.

Quando você busca desenvolver o seu estado de consciência, a primeira coisa que você começa a questionar é a vida, se tudo o que você está vendo é isso mesmo. Você quer estudar, aprender e se expandir.

Nós fazemos este estudo buscando grandes estruturas universais que falam da vida, da espiritualidade, de Deus, mas não seguimos nenhuma religião.

Se você é pastor, padre, sacerdote, pai de santo ou líder espírita, seja muito bem-vindo. Eu acredito que, se falarmos de amor e evolução espiritual, todas as religiões, sintonias, filosofias e doutrinas espirituais farão bem para você, para mim, para todo mundo. Eu acredito também que tudo aquilo que destoar do amor merece sair da sua vida.

Contudo, se você achar que o assunto que eu estou falando não tem nada a ver, não lhe ajuda, não é do bem, não é pautado na luz e no amor, você tem todo o direito de nunca mais assistir nenhum vídeo meu ou ler nada do que eu escreva. Sinceramente, eu espero que isso não aconteça.

Eu concordo que às vezes pode não haver afinidade, de não gostarmos do que o outro fala ou da maneira como diz, mas espero do fundo do coração que você participe desta comunidade em busca de mais consciência e amor, e que já transformou tantas vidas. Em outras palavras, todas as pessoas, de todas as religiões, são muito bem-vindas.

O fato de eu não ter uma religião não significa que eu não tenha um Deus forte atuando na minha vida, que eu não esteja conectado com a sincronicidade, que eu não faça as minhas orações. Pelo contrário! Eu sou um rezador de marca maior, estou o tempo inteiro em contato com essa energia, essa espiritualidade. Eu amo saber que, quando nos conectamos a uma Força Maior, mudamos a nossa realidade.

O meu objetivo aqui foi ajudar você a se conectar com o seu poder maior, com o poder maior de Deus, com o poder maior da natureza. Eu quero fazer a diferença na sua vida!

Eu, a cabrinha Juliana e toda a equipe Luz da Serra estamos com você, acreditando na sua força de arregaçar as mangas e fazer acontecer. Não é só uma crença cega, não. Nós vemos a resposta disso todos os dias, nas suas mensagens, nos seus comentários nos nossos vídeos, nos seus e-mails para *suporte@luzdaserra.com.br*:

– **Eu mudei, Bruno!**

– **Como eu estou melhor agora!**

– **Eu estou feliz!**

É muito bom, muito gratificante saber que você está evoluindo na sua existência. Muitas vezes, a vida se torna difícil, há muitos desafios, as pessoas mudam... E nós precisamos crescer e aprender com tudo isso. Às vezes não é gostoso levantar cedo. Em outras ocasiões, não temos vontade de enfrentar a vida. Mas vale a pena. Ninguém falou que é fácil, eu só digo para você que vale a pena. E é muito mais fácil e vale muito mais a pena quando fazemos em conjunto e em equilíbrio.

LINGUIÇA MOMENT

Ao longo desta jornada, eu sei que algumas pessoas ficaram de cara comigo – essa é uma expressão que o gaúcho usa muito. Embora eu não seja gaúcho, estou nesta terra há muito tempo e uso bastante expressões gauchescas. Isso significa que essas pessoas ficaram bravas comigo, porque me disseram que eu enrolo muito e que sou meio repetitivo.

No final das contas, eu tratei as críticas com leveza, levei na brincadeira. Até cheguei a criar o "Linguiça Moment" nos vídeos do Espiritualidade na Prática, baseado naquelas pessoas que diziam que eu estava embromando, ou seja, enchendo linguiça.

LINGUIÇA MOMENT

O fato é que eu considero as existências cíclicas, como Allan Kardec dizia, assim como também acreditam os hindus. Você pode abrir o Bhagavad Gita ou outro livro sagrado hindu para ver as rodas de reencarnação. Os budistas também falam sobre a impermanência da vida. Nós viemos vida após vida, encarnação após encarnação, mas sempre erramos nas mesmas coisas, no orgulho, na vaidade, no excesso, na maledicência, no medo, na baixa autoestima. O nosso espírito é o mesmo, trocamos de corpo a cada existência, mas continuamos caindo nos mesmos pontos.

Exatamente por isso, muitas vezes um texto do Mistérios da Alma ou um vídeo da série Espiritualidade na Prática falou sobre o mesmo assunto, apertou na mesma tecla. Se você acha repetitivo, talvez você não precise aprender sobre mágoa, medo, tristeza, pessimismo ou carência. Quem sabe a vaidade, o ego e a arrogância não sejam problemas para você.

Mas, para mim e para a maioria gritante dos meus alunos e seguidores, é algo que precisamos ficar ligados todos os dias. É como uma criança pequena, que está crescendo e pode fazer alguma besteirinha a qualquer hora. Então, o pai e mãe estão sempre de olho nela.

Com a espiritualidade é a mesma coisa, você precisa ficar atento aos pequenos pontos em que você erra. É por isso que eu me obrigo a ser repetitivo em algumas partes, para fixar o conhecimento para você e para mim também. Eu digo isso humildemente, porque muitas coisas que eu ensino para você eu aplico no meu dia a dia. É para eu ter as rédeas da minha vida e da minha espiritualidade, combinado?

COMPROMETA-SE COM A SUA EVOLUÇÃO

Como você sabe, eu adoro falar sobre espiritualidade e também ajudar as pessoas a mudarem de vida.

Acima de tudo, aquelas que estão sofrendo, que vivem em um momento difícil, com muita dificuldade, em um emprego desgraçado, sabe? Aquele trabalho que parece uma escravidão, em que a pessoa não gosta do que faz. Você olha para os olhos dela e não há brilho nenhum.

Além das pessoas que estão brigando muito em casa, procuro auxiliar aquelas que não se realizam, não estão felizes com nada, não se acham, não entendem a vida, não sabem o que estão fazendo aqui, não acham legal viver, não gostam do vizinho, não gostam da cidade em que vivem. E o que essas pessoas têm? Elas são erradas, elas são do mal?

Depois de muito tempo trabalhando no consultório como terapeuta, eu ajudei mais de 3 mil pessoas a mudar esse estilo de vida. Desses consultantes, 70% deles estava nesse tipo de situação que eu falei para você. Eles viviam um inferno na Terra, em um estado de consciência terrível. Muitos deles sem nada, desgraçados mesmo. Já outros com tudo, mas se sentindo um nada. Ambos sofriam muito.

Hoje a maioria da população vive essa mesma realidade. Eu confesso a você que eu dediquei a maior parte do meu trabalho a esses seres. O sofrimento deles me motivava a buscar cada vez mais, e continua me motivando hoje. Só que eu também gosto de trabalhar com pessoas comprometidas.

Nessa busca por ajudar pessoas empenhadas a mudarem de vida, eu entrei no YouTube e no Facebook. Agora, eu posso dizer que a maior parte da minha audiência hoje é composta por pessoas nessa situação, ou seja, que estão completamente acabadas na vida. São jovens, adultos, idosos, não importa. O fato é que elas estão emocionalmente destruídas, o nível de felicidade delas está lá em baixo, e a autoestima nem existe.

Mas eu também consigo trabalhar para quem está bem, possui uma vida boa, com qualidade, mas que quer muito mais da sua existência. Há muitas pessoas que buscam viver melhor, descobrir o seu propósito de vida e, principalmente, ajudar quem está sofrendo.

Quantas pessoas sofrem por não saberem como ajudar o mundo, o filho, o marido, a esposa?

Contudo, em primeiro lugar, você precisa melhorar a sua realidade. Em um segundo estágio, aquele pouquinho que sabe para se ajudar, você pode aplicar em outras pessoas.

Então, cada dia é um dia.

Eu sou totalmente autêntico com você. Eu estou aqui neste compromisso há mais de 15 anos já, de espiritualidade universalista, para ajudar você viver acima da média, a encontrar a sua missão de vida, a sair dos conflitos de relacionamento, dos problemas de prosperidade, da insônia, da depressão e do estresse.

Eu quero ajudar você a viver uma vida que vale a pena, resgatando o seu poder pessoal. Isso é espiritualidade caso você não saiba.

HAD

Nada é mais poderoso na minha vida quando o assunto é transformação, conquista de metas e realizar a missão de vida, do que essas três letrinhas simples. Essa sigla representa o segredo do sucesso das pessoas que conseguiram superações e resultados incríveis.

Pessoas sem esperança, perdidas, depressivas, doentes, desesperadas, insatisfeitas, inseguras, carentes (etc. etc. etc.) conseguiram profundas transformações aplicando esse segredo. E elas estão mostrando que é isto mesmo: o simples e prático que muda tudo.

H = HOJE
A = AMANHÃ
D = DEPOIS

Sim, é isso mesmo: hoje, amanhã e depois.

Você aprendeu caminhos incríveis aqui. Eles não são os únicos do mundo, nem os melhores e nem os mais perfeitos. Quem sou eu para dizer que esse é o melhor caminho do mundo? Mas o fato é que o que eu lhe mostrei aqui é testado, aprovado e já mudou a vida de milhares (não estou exagerando, não, é milhares mesmo) de pessoas ao redor do mundo.

Essas pessoas tiveram acesso ao conhecimento dos Mistérios Revelados, entenderam as duas Regras de Ouro (dois pilares básicos: Sintonia Elevada e Mentoria) e aplicaram o Hoje, Amanhã e Depois (HAD). Simples assim!

Hoje elas estão escrevendo, mandando vídeos ou falando de suas superações e vitórias (das pequenas às gigantes conquistas), mostrando que um mundo mais brilhante, próspero, feliz e espiritualizado é possível.

Seja você também parte desta jornada. Faça o seu papel, dê a sua contribuição para esta família que se aglomera ao redor de uma causa maior: a evolução espiritual na prática.

Você pode mudar! Você pode ser o que nasceu para ser! Você pode ativar o seu poder maior de ser o criador da sua vida incrível!

Faça! Seja o que nasceu para ser!

Eu gostaria de conhecer a sua história, o seu relato. Se você sentir o chamado de compartilhar as suas conquistas e o que mudou na sua vida, mande um vídeo para mim! Conte-me se você está sendo quem nasceu para ser e se toda a sua dedicação e o seu comprometimento nesta jornada valeram a pena!

Eu acredito em você!

Eu sou nós!

Somos um só!

Muita Luz!

Bruno J. Gimenes

PS: Comprometa-se nesta jornada! Leia e aplique o que você recebeu e esteja pronto(a) para nos mandar o seu relato em texto ou vídeo para o e-mail: *suporte@luzdaserra.com.br*.

OUTRAS PUBLICAÇÕES

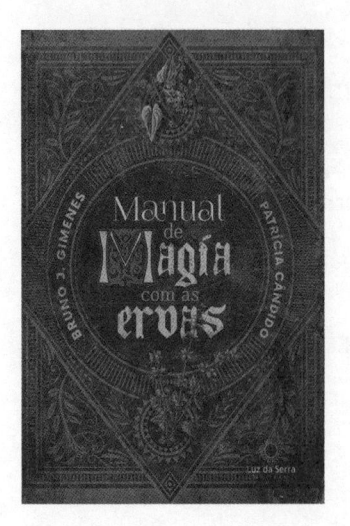

Luz da Serra
EDITORA

MANUAL DE MAGIA COM AS ERVAS
Bruno J. Gimenes e Patrícia Cândido

Imagine a liberdade e a alegria em saber exatamente o que fazer para ajudar o seu filho que vive com uma dor aqui, outra ali. Ou ainda a sua mãe que sofre com a insônia. Imagine poder enviar energias a distância para alguém que você quer ajudar ou até mesmo saber o que fazer para ativar a sua autoestima e abrir seus caminhos de prosperidade. Neste livro, você aprenderá a usar benzimentos, mandalas, incensos, chás, sachês, amuletos, patuás, sprays e muitas outras técnicas poderosíssimas para transformar profundamente a sua vida e a das pessoas ao seu redor.

Páginas: 256
Formato: 16x23cm
ISBN: 978-85-64463-12-7

FITOENERGÉTICA:
a energia das plantas
no equilíbrio da alma
Bruno J. Gimenes

O poder oculto das plantas apresentado de uma maneira que você jamais viu. A Fitoenergética é um sistema de cura natural que apresenta ao leitor a sabedoria que estava escondida e deixada de lado em função dos novos tempos. É um livro inédito no mundo que mostra um sério e aprofundado estudo sobre as propriedades energéticas das plantas e seus efeitos sobre todos os seres.

Páginas: 304
Formato: 16x23cm
ISBN: 978-85-7727-180-1

PODER EXTRAFÍSICO:
O guia definitivo para bloquear a energia negativa das pessoas, acabar com a exaustão mental e ativar a sua verdadeira proteção energética
Bruno J. Gimenes e Patrícia Cândido

O seu sofá parece um Buraco Negro? Você já fez planos de chegar em casa, cuidar das suas coisas, estudar, fazer o que você gosta, mas seu sofá simplesmente lhe engole e você não tem forças para nada? Você é uma verdadeira "esponja" que absorve a energia das pessoas? Este livro vai revelar o segredo dos antigos iniciados para acabar com a exaustão mental, blindar sua aura de pessoas nocivas e limpar a energia da sua casa, em um método comprovado, simples e passo a passo.

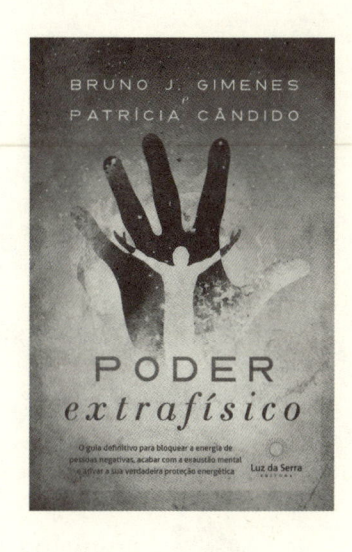

Páginas: 224
Formato: 16x23cm
ISBN: 978-85-64463-48-6

MEDITAR TRANSFORMA:
um guia definitivo para acalmar a sua mente e equilibrar as suas emoções com 8 minutos diários
Amanda Dreher

Você vai conhecer o método para acalmar a sua mente e controlar as suas emoções com apenas 8 minutos diários, de forma simples e prática. Você será capaz de eliminar os maiores inimigos internos que prejudicam a vida da esmagadora maioria das pessoas: ansiedade, estresse, depressão, insônia, falta de concentração, dores crônicas, problemas de relacionamento e vazio no peito por não conhecer a missão de vida.

Páginas: 200
Formato: 16x23cm
ISBN: 978-85-64463-46-2

Transformação pessoal, crescimento contínuo, aprendizado com equilíbrio e consciência elevada.

Essas palavras fazem sentido para você?

Se você busca a sua evolução espiritual, acesse os nossos sites e redes sociais:

www.luzdaserra.com.br
www.luzdaserraeditora.com.br

www.facebook.com/luzdaserraonline

www.instagram.com/luzdaserraeditora

www.youtube.com/Luzdaserra

Luz da Serra
EDITORA

Avenida 15 de Novembro, 785 – Centro
Nova Petrópolis / RS – CEP 95150-000
Fone: (54) 3281-4399 / (54) 99113-7657
E-mail: editora@luzdaserra.com.br